LA REVUE DES LETTRES MODERNES

PAUL VALÉRY 3

approche du « Système »

textes réunis

par

Huguette LAURENTI

D1542095

LETTRES MODERNES

MINARD

73, rue du Cardinal-Lemoine — 75005 PARIS

1979

SIGLES ET ABRÉVIATIONS

Dans les références des textes cités, la pagination (entre parenthèses) et les sigles renvoient à la répartition des œuvres telle que l'a procurée Jean HYTIER dans la « Bibliothèque de la Pléiade » :

I   *Œuvres*. I (Paris, Gallimard, 1975)   [*Œ*, I]

II   *Œuvres*. II (Paris, Gallimard, 1970)   [*Œ*, II]

Corr. VG   VALÉRY (Paul) et André GIDE, *Correspondance (1890-1942)* (Paris, Gallimard, 1955).

Corr. VF   VALÉRY (Paul) et Gustave FOURMENT, *Correspondance (1887-1933)* (Paris, Gallimard, 1957).

Toute citation formellement textuelle se présente soit hors texte, en petit caractère romain, soit dans le corps du texte en *italique* entre guillemets, les soulignés du texte d'origine étant rendus par l'alternance romain/italique ; mais seuls les mots en PETITES CAPITALES y sont soulignés par l'auteur de l'étude (le signe * devant un fragment attestant les petites capitales ou l'italique de l'édition de référence).

À l'intérieur d'un même paragraphe, les séries continues de références à un même texte sont allégées du sigle commun initial et réduites à la seule pagination ; par ailleurs les références consécutives à une même page ne sont pas répétées à l'intérieur.de ce paragraphe.

Si, en tête d'un développement, la localisation d'ensemble d'un poème a été précisée, les citations seront identifiées par un renvoi entre crochets à la numérotation des vers sous la forme du poème retenue par l'édition de référence ; ce même renvoi n'est pas répété pour les citations consécutives de ce même vers.

ISBN : 2-256-90141-6

COMME le précédent volume de la Série, celui-ci est constitué de textes présentés en communication au séminaire annuel de recherche organisé par le Centre d'Études Valéryennes de l'Université Paul Valéry, à Montpellier. Ces textes sont ici réunis dans l'ordre de leur présentation et suivis d'une transcription, que nous avons voulue aussi fidèle que possible, de la « table ronde » qui termine habituellement ces rencontres.

L'étude de ce que Valéry appelle « mon Système » représente, nous le savons, un sujet immense et qui peut paraître bien ambitieux. Par ses implications scientifiques et philosophiques, elle impose en outre une orientation pluridisciplinaire. Nous avons donc voulu, dans un premier temps, l'aborder sous ses aspects les plus généraux : les entretiens qui eurent lieu à Montpellier les 14 et 15 mai 1976 ne pouvaient opérer qu'une approche de la notion même de « système » telle que Valéry l'a conçue dès les premières années de sa recherche. Cette notion, il convenait d'abord de la replacer à la fois dans l'histoire d'un esprit, celui de Valéry, et dans celle d'une analyse de l'intellect qui fut la grande affaire de sa vie. De ce premier défrichement nous espérions voir sortir des orientations nouvelles pour la recherche et, pourquoi pas ? de nouveaux thèmes pour d'autres rencontres.

Nous ne nous sommes pas trompés sur ce point, puisque déjà plusieurs entretiens ont eu lieu au Centre d'Études Valéryennes sur des sujets dérivés de celui-ci. Le plus important d'entre eux, ayant pour thème le grand problème du pouvoir de l'esprit, fournira la matière du prochain volume de cette série.

Nous constatons d'autre part que, si nous en sommes rapidement arrivés à considérer ce champ de recherche — dont le matériau est essentiellement fourni par les *Cahiers* — comme majeur, c'est qu'il devait l'être en effet : les thèses récemment soutenues en France et les nombreux ouvrages ou articles qui nous parviennent de l'étranger en sont le témoignage.

*

Si nous avons choisi d'attaquer de front le problème du « Système » de Paul Valéry, c'est que nous souhaitions, en reprenant les questions qu'il s'est posées dans les *Cahiers*, tenter de définir ce que recouvrait pour lui ce mot ambigu, sorte de clé, peut-être imaginaire, de sa recherche quotidienne.

L'idée du « Système » est née, on le sait, de la crise de 1892 et des circonstances qui l'ont provoquée. L'utilisation de modèles scientifiques, empruntés en particulier aux mathématiques et à la thermodynamique, a permis à Valéry de mettre progressivement au point une méthode qu'il voulait, pour autant que la chose fût possible, à la fois active et défensive. Défensive d'abord, il l'a dit, et c'est par là que le « Système » s'enracine dans les ressources vitales de l'être et se heurte à des contradictions proprement insurmontables. Mais aussi active, et toute tournée vers l'édification d'une conception rigoureuse des mécanismes de l'esprit et de leur relation avec les autres composantes, physiques ou biologiques, qui font l'homme et le monde.

C'est pourquoi la notation très générale de « Système » englobe tout à la fois les « trois lois », qui posent la relation du « formel-fonctionnel », du « significatif » et de « l'accidentel », le « système C.E.M. » (Corps-Esprit-Monde), le « système D.R. » (demande-réponse), et nécessite l'analyse d'autres notions capitales comme, par exemple, celles de « cycle » ou de « fonction » dans un registre scientifique, de « sensibilité », d'attention, de mémoire, de veille et de sommeil, dans un registre plus flou qui tient en même temps de la philosophie et de la biologie.

Il ne pouvait être question d'aborder tous ces thèmes. Quelques-uns seulement sont étudiés ici, qui nourrissent à la fois la pensée quotidienne de Valéry et son œuvre de création. On voit, par leur énumération, à quel point la pluridisciplinarité s'imposait. Aussi savons-nous gré aux éminents spécialistes qui ont bien voulu prêter leur concours aux travaux de l'équipe des chercheurs valéryens. M. Arnold Kaufmann, ancien professeur à l'Université de Louvain, nous a apporté le point de vue du mathématicien et de l'informaticien, spécialiste de la théorie nouvelle des sous-ensembles flous ; le professeur André Mandin nous a apporté celui du médecin et du biologiste, et MM. Yvon Belaval et Simon Lantiéri celui de la philosophie. Car chacun sait que, si Valéry répudie ce qu'il estime être les ratiocinations des philosophes, il explore le même champ de recherche, et prétend pour cela s'inventer une méthode empruntant à la science ses modes de cheminements rigoureux.

*

En nous tournant délibérément vers la partie la plus aride de l'œuvre valéryenne, sommes-nous si loin du poète et du créateur de Monsieur Teste ? La confrontation des *Cahiers* et de l'œuvre publiée, ce va-et-vient qui s'impose désormais entre l'un et l'autre aspects de ce qui fut la dynamique de l'esprit chez Paul Valéry, font apparaître en permanence, sous *La Jeune Parque* ou les poèmes de *Charmes*, sous les écrits du cycle *Teste*, sous l'œuvre dramatique, les dialogues et les textes de *Variété*, un ensemble thématique qui prend sa source dans la problématique fondamentale sans cesse repensée. Le « Système » ou sa nostalgie, l'aspiration orgueilleuse à l'unité que traduit la volonté de le concevoir y sont constamment sensibles, ainsi que le drame essentiel de la confrontation de l'hétérogénéité des choses et de la vie multiple du Moi avec le rêve impossible d'une suprématie de l'esprit.

Huguette LAURENTI

COMMENT ABORDER LE « SYSTÈME » DE VALÉRY ?

PROBLÈMES DE BASE

par Judith Robinson

L E problème de savoir exactement ce que Valéry entendait par le mot *Système* est un des plus difficiles qui soient. Pendant toute sa vie, il n'a cessé d'essayer de le définir et de le redéfinir, mettant l'accent tantôt sur tel aspect de la question, tantôt sur tel autre, et semblant éprouver une insatisfaction quasi permanente devant ses propres efforts pour cerner cette idée clef de sa pensée. Si on cherche à entrer trop profondément dans le détail des définitions si nombreuses et si variées qu'il en donne, on risque de s'y noyer, et d'être beaucoup plus frappé par les différences apparentes entre elles que par les ressemblances et les constances. Pour empêcher les arbres de cacher la forêt, il faut donc commencer par faire une tentative volontaire de simplification.

Un des meilleurs moyens d'y arriver, c'est d'imiter, de mimer en quelque sorte, la démarche si fréquente de Valéry lui-même dans les *Cahiers* : c'est-à-dire de remonter jusqu'à l'*origine* du « Système » pour découvrir les besoins intellectuels, et même vitaux, qui l'ont fait naître, et pour essayer de dégager premièrement, ce que Valéry a voulu faire, et deuxièmement, ce que cette volonté impliquait comme refus d'autres façons de penser et

7

d'autres méthodes d'analyse. Autrement dit, il y a dans le « Système » deux catégories de buts : des buts *positifs* et des buts *négatifs*, et comme Valéry l'a souvent dit, s'il importe avant toute autre chose, pour comprendre la pensée d'un homme, de savoir avec précision quels ont été ses buts, il ne faut jamais oublier que ses buts négatifs ont souvent une importance tout aussi grande, sinon plus grande, que ses buts positifs. C'était le cas d'un Mallarmé, par exemple, et c'était aussi le cas de Valéry, qui a écrit : « *Ma véritable* valeur — *elle gît dans mes refus* » (C, XIX, 108).

Comme Valéry ne cesse de le répéter, son « Système » a été à l'origine un produit direct de sa grande crise intérieure de 1892, et surtout de sa réaction devant les émotions tumultueuses et chaotiques qu'avait éveillées en lui son amour d'adolescent pour Mᵐᵉ de R. Ce grand projet *intellectuel* est donc né d'un drame *affectif*, qui a inspiré à Valéry une réaction fortement *défensive*. De nombreux passages des *Cahiers* en témoignent :

Le « Système » — « Mon » Système

cette *reductio ad certum et incertum* — que j'ai définie (pour me défaire de maux imaginants et imaginés) en 92...   (C, XVI, 45)

[...] mon « Système » — qui n'est qu'une observation très simple suggérée par le besoin de défendre Moi contre Moi [...]   (C, XV, 257)

Et encore :

Je pratique, depuis 1892, le système que j'ai créé au mois de novembre de cet an-là, 12 rue Gay-Lussac — Et que j'ai créé *par nécessité* — pour me défendre d'une douleur insupportable de la *chair* de l'*esprit*, et d'une autre de l'*esprit de l'esprit*. Révolte contre les idoles.   (C, XVI, 322)

Cette réaction défensive de la part de Valéry a eu deux conséquences principales qui ont donné au « Système » son orientation de base. La première a été la volonté de substituer une *analyse* active et objective de l'esprit à l'*expérience* à la fois passive, trop subjective, trop immédiate, trop intense et trop confuse de la vie psychique que lui avait imposée sa passion amoureuse. D'où sa résolution de prendre le plus grand recul possible devant tous les événements mentaux, et de les réduire au niveau de simples « phénomènes » soumis au regard d'un observateur détaché et indépendant. C'est dans le même but qu'il recherche le maximum de pureté et de précision dans son analyse — pureté dans le sens quasi chimique de distinction, de non-confusion entre des éléments physiques et mentaux différents que ses sentiments pour Mme de R. avaient tellement embrouillés, et précision pour lutter contre l'ambiguïté et le vague des émotions et des sensations si troubles qu'elle avait éveillées en lui.

La deuxième conséquence de la réaction défensive de Valéry a été de vouloir réduire tout le fonctionnement mental à un ensemble de phénomènes *finis*, par opposition à *infinis*. Même dans cette prise de position intellectuelle on peut discerner l'influence de sa révolte intérieure contre l'empire tyrannique que sa passion pour Mme de R. avait exercé sur lui. Car la caractéristique principale de cette passion, c'était justement la valeur *infinie* de résonance, d'amplification et de prolongement qu'elle donnait aux moindres choses, leur conférant une puissance obsessionnelle qui faisait qu'elles occupaient entièrement, à l'exclusion de tout le reste, tout le terrain de l'esprit. C'est ainsi qu'en 1891-92, comme d'ailleurs à d'autres époques de sa vie, Valéry a été littéralement hanté, de son propre aveu, par certaines idées et images d'une charge émotive très forte qui prenaient en lui une extension illimitée. Que faire pour se protéger contre une telle invasion de soi par des forces étrangères ? Se servir, justement, du « Système » pour les « démystifier », pour les réduire à leur vrai pouvoir instantané, qui n'est jamais, si on arrive à les considérer sous cet angle objectif, qu'un pouvoir fini et limité. Comme l'écrit Valéry :

Tout devient par là *actuel*. Les *mots* perdent leurs *valeurs cachées* ou *infinies* ; certains sont considérés comme bons pour l'usage externe — mais non pour dignes de figurer dans mes *vrais* problèmes et dans mes solutions.
Les images sont traitées comme *images* — c'est-à-dire en considération des modifications que je puis leur faire subir *librement* — puisque ce sont des états plastiques d'une propriété. Et j'en détache leurs *valeurs d'impulsion*, d'*obsession*, etc., qui, dans aucun cas, ne leur sont attachées par des liens *fonctionnels* résistant aux circonstances, au « temps » etc.

(C, XVI, 322)

On retrouve la même idée dans un de ces nombreux retours en arrière des derniers *Cahiers* dans lesquels Valéry repense à l'époque 1891-92 et à son influence profonde sur le « Système » :

Quand je me disais : *Ceci* n'est qu'images et sa force consiste dans cette propriété de renaître à tout propos, et de m'exciter les irritations et torsions intimes les plus insupportables — je veux réduire ceci à des images etc. etc. — Cela passera, un jour — Cela céderait à un opium — ou à des événements ou à une douleur physique etc. — je tentais d'opposer cette *connaissance* à ces diables, à ces connexions irrationnelles tissées « en moi ». Je faisais ainsi une relation entre cette connaissance ou *expression* — donc délimitation et représentation de ma sensation — et cette tempête de sensibilités et j'observai, d'autre part, que tout ce tableau *pouvait* être entièrement remplacé par un tout autre, un calme succéder à la tempête, mon être s'occuper d'autre chose.   (*C*,XXVII, 65-6)

Il n'y a donc aucun doute que la volonté de ramener la vie intérieure à un ensemble de phénomènes finis a eu chez Valéry une origine affective — dans laquelle, d'ailleurs, la révolte contre l' « idole » de l'amour s'est doublée d'une révolte contre plusieurs autres « idoles », y compris la métaphysique et le culte de la littérature. Mais cette réaction initiale a été très vite renforcée par l'observation tout à fait objective de ce que Valéry appelle les « limites » ou les « bornes » de l'esprit. Je ne connais aucun autre analyste du fonctionnement mental qui ait mieux mis en lumière un des plus grands paradoxes de la psychologie humaine : l'existence simultanée en nous d'un immense potentiel mental, *en apparence* illimité, et d'un nombre surprenant de limites précises qui, en fait, empêchent l'esprit de pousser son activité au-delà d'un certain point. Un des buts du « Système » a été, justement, d'essayer de définir la nature exacte de ces limites et d'en expliquer l'origine fonctionnelle. En voici quelques exemples qui ont particulièrement frappé Valéry :

— D'abord, le fait que l'esprit est soumis à un mouvement et à un changement perpétuels, qu'il est naturellement instable, et que toute idée, toute sensation, etc. a tendance à être remplacée après très peu de temps par une autre. (C'est ce que Valéry appelle la

« self-variance », c'est-à-dire, en d'autres termes, une limitation de *durée* et de *continuité* mentales.)

— Ensuite, le fait, si simple qu'on risque toujours de l'oublier, que l'esprit est incapable de penser à plusieurs choses à la fois, ce qui constitue une limitation de *simultanéité*.

— Ou encore, l'existence de très nombreuses *incompatibilités* entre les différents éléments du fonctionnement mental, comme le montre, par exemple, notre incapacité de nous endormir si nous sommes trop intellectuellement excités, ou de prêter une attention complète à une situation ou à une idée si nous sommes soumis par ailleurs à une sensation trop vive ou à une perception nouvelle. De même, il y a des incompatibilités et des restrictions mutuelles entre notre fonctionnement mental d'un côté et notre fonctionnement physique, sensoriel ou moteur de l'autre (notre « ψ » et notre « φ », comme Valéry les désigne souvent) — ce qui explique selon lui pourquoi l'acte de courir très vite exclut la possibilité d'une réflexion profonde sur un problème abstrait, et pourquoi l'homme en proie à la colère ou à l'amour intense ne peut pas en même temps faire un calcul mathématique ou prendre une décision posée.

En parlant de ces différentes limites de l'esprit (auxquelles il faudrait en ajouter bien d'autres), Valéry nous rappelle que tout dans la vie mentale, comme dans la vie du corps, dépend en fin de compte de certaines possibilités fonctionnelles qui restreignent sans que nous le sachions l'étendue possible de notre action : « *Nous croyons dépasser ces bornes. L'infini est le type de cette illusion, laquelle consiste à ne pas voir le* retour invincible au point le plus proche *de l'état de pouvoir recommencer un écart. Ainsi le bras qui a agi revient près du corps, et l'*écart agissant *retient seul notre attention — tandis que n[ou]s négligeons le retour inévitable, —* n'y sommes pas sensibles » (C, XXVII, 450).

Toutes ces observations psychologiques de la nature finie de l'esprit sont venues renforcer une conviction d'ordre *philosophique* qui se trouve aussi à la base du « Système ». Pour Valéry, il n'y a pas dans l'univers deux ordres de réalité, deux types de phénomènes distincts qui seraient la « matière » et l' « esprit » tels qu'ils ont été traditionnellement opposés l'un à l'autre par la métaphysique et la théologie. Sa pensée, profondément moniste, rejette toute idée transcendante de l'esprit, et refuse de le considérer comme autre chose que le produit du fonctionnement très complexe d'un système matériel bien défini — le cerveau humain — doué d'un degré particulièrement élevé d'organisation interne. « *Toute ma " philosophie "* [affirme-t-il] *est dominée par l'observation du caractère fini — par* raison fonctionnelle *— de toute " connaissance ". Ce caractère est réel — tandis que tout non fini est fiduciaire* [...] » (*C*, XXVII, 680).

Ayant rejeté en bloc les catégories et les concepts de la philosophie traditionnelle — ainsi que les mots impurs, imprécis et ambigus dont, selon lui, ils sont tributaires —, Valéry s'est trouvé en face du problème fondamental de savoir par quoi il pouvait les remplacer. Il est très intéressant de le voir dès 1894 faire une sorte de tour d'horizon des autres méthodes d'analyse de l'esprit qui existaient à l'époque et les refuser toutes.

La « psychologie » [*écrit-il dans son premier cahier*] a deux grandes manières et même trois. Je ne suis d'aucune.
La 1re est surtout littéraire, avec un air juridique. La Rochefoucauld, Montesquieu etc. Quelquefois elle a un caractère observateur auquel l'arbitraire ne laisse d'autre vertu que celle du conte — Stendhal — La Bruyère etc. Constant etc. Balzac.
La 2me est scientifique. Elle connaît le cerveau, mais surtout celui des pigeons. Elle étudie les *facultés* et les organes. Elle est encore fort dispersée, à la recherche d'un début. Ce qu'elle connaît le mieux sont les *erreurs* des sens, les troubles nerveux. Une fâcheuse méthode médicale la domine encore. Toutefois, elle est probe, accumule beaucoup de faits, entrevoit des lois particulières. Elle a du reste des limites étroites qu'elle tente de reculer en ne proscrivant plus l'observation self-intérieure.   (*C*, I, 44)

On remarquera ici que parmi les méthodes d'analyse psychologique de la fin du XIXe siècle qui se voulaient « scientifiques », Valéry refuse deux sortes d'approches différentes. La première, c'est celle qui dépendait encore sans le savoir des traditions philosophiques, comme le montre l'accent qu'elle continuait à mettre sur les notions de « facultés » mentales — la volonté, l'imagination, la raison, etc. — et d' « erreurs » des sens. (Cette dernière notion restait même légèrement teintée du jugement moral qui découlait de la vieille distinction entre les sens dits « trompeurs », appartenant au domaine « inférieur » du corps et de la matière, et l'esprit, d'essence « supérieure », qui les « corrige ».)

La deuxième approche était celle qu'on pourrait appeler anatomo-physiologique. D'origine médicale, elle était fondée sur l'observation détaillée des différents éléments dont le cerveau humain est composé. On serait tenté de croire *a priori* que cette méthode volontairement objective et expérimentale plairait à Valéry, mais en fait il lui reproche (comme il le reproche aussi à la psychologie des « facultés ») de s'occuper des *parties* de l'esprit au lieu de s'occuper du *tout*. Dès le début de ses propres recherches, Valéry a posé comme axiome de base que malgré sa subdivision en neurones, en dendrites, etc., le cerveau ne peut être analysé qu'en fonction des *rapports* entre ses éléments, considérés comme un ensemble dynamique en transformation perpétuelle. C'est là le sens de son rejet d'un des termes préférés de la psychologie traditionnelle : « association d'idées ».

> Association « d'idées » [*écrit-il*] — expression très malheureuse. C'est association de *tout* qu'il faut dire.
> Tout ce qui se passe dans le syst[ème] nerveux est élément d'association avec tout ce qui se passe dans le même système.
> C'est même une *définition*. — (C, VIII, 417)

Cette affirmation résume un des aspects les plus importants de la méthode nouvelle que Valéry a essayé d'ébaucher — méthode globale et synthétique qui voulait s'appliquer au fonctionnement *d'ensemble* de l'esprit. Il serait plus exact de dire que ce que Valéry visait, c'était le fonctionnement d'ensemble de l'être humain tout entier — corps et esprit — dans ses échanges constants d'énergie et d'information avec le monde qui l'entoure. Son sigle « *CEM* » (Corps / Esprit / Monde), représentant ce qu'il appelle tantôt les « *3 dimensions* » (C, VIII, 203), tantôt les « *3 points cardinaux* » (XXII, 147) de la connaissance, était pour lui une façon de symboliser l'impossibilité absolue de considérer un de ces termes sans considérer en même temps les deux autres. Un des aspects les plus profondément originaux du « Système » est à mon avis sa manière d'accorder à la vie globale du corps d'une part (si négligée par la philosophie et la psychologie traditionnelles) et au monde extérieur de l'autre le rôle capital qui leur revient dans le fonctionnement mental, et de souligner que ce rôle est toujours dynamique, toujours en équilibre mobile. Certaines phrases des *Cahiers* évoquent d'une façon saisissante ces rapports perpétuellement changeants dans leurs détails mais non pas dans leur structure fondamentale entre les trois éléments dont toute perception, toute pensée et tout acte sont composés :

L'esprit est un moment de la réponse du corps au monde.   *(C, VIII, 153)*

L'action / effet / [1] du monde sur le corps est esprit — (sensation — question). L'action / effet / de l'esprit sur le monde est acte.   *(C, VIII, 203)*

La vie intérieure est due aux réflexions ou réfractions des actions extérieures. J'attribue à *moi* ce qui vient indirectement de non-moi.

Centre de déviation, de dispersion, de relation, de classification.

(C, IX, 677)

$\qquad$ (l'univers
Écoulement de (l'énergie à travers le vivant — qui lui oppose des gênes — d'où temps, sens, — et aussi comme un verre d'urane au « contact » de la lumière invisible, fait le visible, ainsi le vivant donne lieu au « monde » par la sensibilité — —   *(C, VIII, 29)*

*

Pour représenter ce fonctionnement d'ensemble de l'esprit dans ses rapports avec le corps, avec le monde et avec lui-même, Valéry a eu recours à la notion scientifique de « modèle ». Qu'est-ce que c'est qu'un modèle pour un savant ? C'est une façon de représenter analogiquement, soit par des images ou des constructions concrètes, soit par des schémas abstraits, un phénomène, un processus ou un ensemble de rapports de manière à le simplifier, pour pouvoir ensuite l'analyser mieux ou l'incorporer plus facilement dans des raisonnements, des théories ou des expériences. Ce parti pris de simplification — même si la simplification est un peu grossière et si le modèle qui en résulte n'est qu'approximatif — est une des marques de l'esprit scientifique, et à cet égard comme à beaucoup d'autres Valéry était naturellement très près de la manière de penser des savants. Il prisait énormément d'une façon générale ce qu'il nomme l' « *art de réduire le nombre des idées* » (C, X, 169), et devant la question particulière du fonctionnement mental il a compris dès sa première jeunesse que seule une très grande simplification du problème lui permettrait de faire le moindre progrès dans son analyse. Il a souvent appelé l'esprit le système le plus hétérogène qui soit : il fallait donc à tout prix trouver des principes, des lois, des formes de notation homogènes susceptibles d'introduire dans cette diversité une certaine unité de base.

C'est dans ce but qu'il est parti à la recherche des différents « modèles » possibles du fonctionnement mental, essayant tantôt des modèles physiologiques dérivés pour la plupart de schémas relativement traditionnels, tantôt, au contraire, des modèles mathématiques ou physiques entièrement nouveaux. On ne saurait trop souligner tout ce qu'une telle entreprise avait de hardi et d'original à la fin du XIXe siècle et au début du XXe, tant d'années avant l'ère de la cybernétique et de l'ordinateur, et tant d'années avant la naissance de sciences nouvelles comme la théorie de l'information et la biophysique, et de techniques nouvelles comme l'électro-encéphalographie, qui ont enfin osé réaliser le rêve de jeunesse de Valéry en jetant un pont entre le domaine de la vie et de l'esprit d'une part et celui des mathématiques et de la physique de l'autre.

Quels ont été les principaux modèles du fonctionnement mental proposés par Valéry ? En ce qui concerne les modèles physiologiques, il faudrait citer en premier lieu celui du rapport mobile entre les « demandes » et les « réponses », et celui de l'attention conçue comme équivalent psychique de l'accommodation visuelle. Mais le modèle physiologique le plus riche en développements virtuels que nous trouvions dans les *Cahiers*, c'est certainement celui du « retour à l'équilibre », ou, comme Valéry le dit souvent, du « retour à zéro ». Ce schéma est fondé sur l'observation très simple que l'esprit, tout comme le corps, « *se manifeste par le retour (ou la tentative de retour) du système vivant à un état dont il a été écarté* » (C, XV, 18), état qui constitue son point d'équilibre et de stabilité. Autrement dit — et Valéry n'a pas manqué de saisir très vite ce parallèle — l'esprit, tout autant que le corps, peut être représenté comme un mécanisme d'auto-régulation qui cherche constamment, par une sorte d'instinct inné, à conserver son équilibre en corrigeant tout écart, toute déviation d'un état moyen de stabilité, de disponibilité et de fonctionnement optimum. On discerne facilement dans ce modèle du « retour à zéro » deux notions clefs de la cybernétique moderne : celle de l' « homéostasie » et celle du « *feed-back* » — exemple saisissant de l'esprit novateur dont les spéculations des *Cahiers* font si souvent preuve.

Pour ce qui est des mathématiques, Valéry semble, à en juger d'après une phrase de son premier Cahier, avoir pensé d'abord à des modèles algébriques.

Je pose [*écrit-il dès 1894*] que : La Science mathématique dégagée de ses applications telles que la géométrie, l'arithmétique écrite etc. et réduite à l'algèbre, c'est-à-dire à l'analyse des transformations d'un être purement différentiel, composé d'éléments homogènes — est le plus fidèle document des propriétés de groupement, de disjonction et de variation de l'esprit.
(C, I, 36)

La recherche d'un modèle mathématique qui rende compte des transformations de l'esprit est restée une préoccupation constante de Valéry jusqu'à la fin de sa vie. Dire que l'esprit est composé de transformations, c'est dire aussi qu'il existe des *groupes* de transformations mentales et des *invariants* de ces groupes correspondant à ce qui reste constant à travers les innombrables fluctuations de la vie mentale : les changements perpétuels d'objet de pensée, les passages d'une idée à une autre, d'une émotion à une autre, les périodes d'oubli, de trouble, de maladie, le sommeil, le rêve, et jusqu'à la folie. D'où le très grand intérêt que Valéry a toujours porté à la théorie des groupes et à la notion d'invariant telle qu'elle a été développée non seulement par les mathématiques mais aussi par la physique.

Deux autres branches des mathématiques ont attiré Valéry par la capacité qu'elles partagent avec la théorie des groupes d'extraire d'une diversité très grande d'éléments un principe d'unité et d'appartenance commune : la théorie des ensembles et la topologie. La force de la théorie des ensembles comme modèle possible de l'esprit résidait pour Valéry dans la possibilité qu'elle offre d'étudier abstraitement les rapports multiples et fluctuants entre des éléments mentaux qui peuvent être considérés comme appartenant tantôt à tel ensemble ou sous-ensemble, tantôt à tel autre. Quant à la topologie, Valéry a espéré y trouver une méthode suffisamment souple pour représenter, premièrement, la mystérieuse continuité de l'esprit et du « moi » qui survit à toutes les transformations intérieures, et deuxièmement, les différents types de connexion qui caractérisent le fonctionnement mental : connexion dans le temps et dans l'espace, comportant de nombreuses liaisons entre le monde intérieur et le monde extérieur, et entre les structures existantes de l'esprit (par exemple la mémoire) et toute idée ou sensation nouvelle.

Parfois, le nombre et la variété des éléments dont il faut tenir compte pour créer le modèle même le plus simple de l'esprit ont convaincu Valéry de la nécessité d'avoir recours à des notions probabilistes et statistiques.

Quelle est la probabilité [demande-t-il] de telle idée ? Quelle est la probabilité pour que telle idée vienne à p individus ?
— Peut-on regarder la sphère mentale comme un théâtre d'événements, un vase où les molécules de gaz se heurtent ?
[...] Quelle est la pr[obabilité] de telle association ? de tel souvenir ? Mystère radical. (C, V, 751)

Les modèles physiques de l'esprit suggérés par Valéry sont tout aussi nombreux et aussi variés que les modèles mathématiques. Dans les années qui suivent immédiatement la crise de 1892, il envisage déjà en gros la possibilité de représentations soit mécaniques soit électromagnétiques du fonctionnement mental et nerveux. Avec le temps, il devient de plus en plus convaincu de la valeur à la fois pratique et conceptuelle de représentations schématiques de ce genre. Ainsi, il écrit en 1917 :

Les psychologues ne songent pas à étudier ces machines admirables où la combinaison d'une mécanique subtile et de l'électro-magnétisme donne des effets si souples.

Mais 1° plus on invente des machines de ce genre, plus on éclaircit par des modèles l'idée que n[ou]s pouvons avoir de l'organisation neuro-psycho-physique

2° plus n[ou]s essayons de trouver quel mécanisme peut reproduire telles activités de l'être vivant, plus n[ou]s avons l'idée de nouvelles machines.
(C, VI, 598)

Vingt-cinq ans plus tard, en 1942, il affirme encore :

Au lieu de spéculer sur des coupes de cervelle et des vues microscopiques de filaments et de noyaux, mieux vaudrait essayer de construire un modèle mécanico-électro-chimique qui représentât non « la pensée » mais le fonctionnement — lequel impose à la pensée, conscience etc. des équations de condition.
(C, XXVI, 263)

Vers 1900, Valéry a commencé à explorer une autre voie qui s'est révélée particulièrement fructueuse : la possibilité de construire un modèle thermodynamique de l'esprit, fondé sur l'idée que le cerveau humain, tout comme la machine à vapeur de Carnot, est un système énergétique, et qu'il doit par conséquent être soumis à des lois comparables à celles qui régissent tous les systèmes de ce genre. Comme il l'écrit à Gide dans le langage décontracté qui caractérisait leurs échanges :

Jusqu'ici on n'a jamais osé faire entrer le ciboulot dans l'énergie totale de l'Univers. Et, faute de le pouvoir, on a été jusqu'à appeler le phénomène mental épiphénomène. Ce qui est assez rigolot [sic].

J'ai pris un autre tour. [...]

Toute la question sera de voir si j'arriverai à trouver mon énergie, parallèle dans ses lois avec l'énergie physique. [2]

Comme j'ai essayé de le montrer ailleurs [3], Valéry a fini par trouver un nombre tout à fait surprenant de parallèles extrêmement suggestifs entre le fonctionnement du cerveau humain et celui des systèmes thermodynamiques en général : les idées de conservation, de transformation et de dégradation d'énergie, d'équilibre et de rupture d'équilibre, d'échanges d'énergie entre l'intérieur du système et le monde extérieur, d'économie, de réserves, de perte et de récupération d'énergie, de travail et de production, de phases, de cycles fermés et, surtout, d'entropie et de négentropie. L'idée de l'esprit humain comme exemple de la négentropie en acte est probablement, de toutes les analogies scientifiques que Valéry a proposées, la plus riche et la plus profonde, et justifierait à mon avis, à elle seule, toutes ses recherches de modèles différents de l'activité psychique.

Parmi les autres domaines de la physique qui ont suggéré à Valéry des analogies fécondes, on pourrait citer au premier chef la théorie de la relativité, qui a énormément stimulé son esprit et confirmé beaucoup de ses idées. Elle l'a porté à se demander si à la vitesse de la lumière dans l'univers physique correspond une vitesse maxima, une vitesse-limite d'ordre psychique ; s'il n'existe pas, à côté des invariants relativistes, d'autres invariants encore inconnus qui seraient ceux des rapports entre le monde extérieur et le monde intérieur ; et s'il ne faudrait pas introduire dans l'analyse psychologique, comme Einstein l'a fait dans la relativité, la notion clef de l'observateur et de son rapport avec le système observé (idée qu'il a retrouvée aussi dans le principe d'incertitude d'Heisenberg).

*

Ces derniers exemples ne constituent pas à mes yeux des modèles proprement dits du fonctionnement mental. Dans ce cas, comme dans certains autres, Valéry a été très frappé par des analogies entre la vie de l'esprit et tel ou tel phénomène physique, mais ne les a pas développées systématiquement. C'est peut-être que, comme il l'affirme vers la fin de sa vie, il s'en était servi essentiellement « *à titre de questionnaire, de moyen de former des problèmes* » (C, XXIV, 724) plutôt que de les résoudre. Et il lui arrivait certainement aussi d'entrevoir intuitivement toutes sortes de correspondances que les limites de ses connaissances techniques l'empêchaient de développer au-delà d'un certain point — ce qui explique en partie le sentiment de frustration devant son travail sur le « Système » qu'on trouve souvent exprimé dans les *Cahiers*. Quoi qu'il en soit, les réflexions que lui a inspirées la théorie de la relativité me semblent soulever une question fondamentale : celle de savoir où s'arrête pour Valéry l'image ou l'analogie saisissante mais parfois fugitive, et où commence la recherche d'un parallèle profond et cohérent à partir duquel puisse s'imaginer un modèle structuré de l'esprit.

Il y a plusieurs autres questions qui se posent dès qu'on veut pousser plus loin l'analyse du « Système » et essayer de porter un jugement sur sa valeur. En voici celles qui me paraissent les plus importantes, que je soumets à la réflexion des chercheurs futurs :

1) « Quel a été l'apport le plus précieux de Valéry, le plus riche en développements virtuels : l'idée de modèles physiologiques, celle de modèles mathématiques ou celle de modèles physiques de l'esprit ? »

(Ces distinctions constituent, bien entendu, une simplification, car tout modèle physique comporte des éléments d'analyse mathématique, et il y a aussi plusieurs notions de base qui sont communes aux deux sciences, comme celle d'invariant, qu'on trouve, par exemple, dans la théorie de la relativité, dans la théorie des groupes, et en topologie. De même, le modèle valéryen du « retour à l'équilibre » se rattache non seulement à la physiologie mais aussi à la physique, par l'idée du retour d'un pendule ou d'un corps en rotation comme une toupie à son point de repos.)

2) « À l'intérieur de ces trois catégories générales de la physiologie, des mathématiques et de la physique, quels sont les modèles de l'esprit esquissés par Valéry qui restent de nos jours les plus valables, les plus suggestifs pour l'avenir de la spéculation et de l'expérimentation ? »

3) « Pourquoi au juste Valéry a-t-il choisi chacun de ses modèles ? pour représenter quels phénomènes mentaux précis et pour permettre quelles opérations et quels calculs précis sur ces phénomènes ? »

La réponse à cette question, dans le cas de certains modèles, est assez complexe, et comporte plusieurs facteurs. Prenons l'exemple de la notion de phase, dérivée de la chimie physique et de la thermodynamique, que Valéry a appelée en 1940 la « *meilleure idée* » de son « Système » (C, XXIII, 663). Elle l'a frappé, je crois, pour au moins quatre raisons. D'abord, elle répond parfaitement à son désir d'envisager le fonctionnement mental (et aussi physique) comme un fonctionnement global, comme le produit d'un système intégré et unifié. Elle montre, comme il le dit, qu' « *on ne peut passer d'un fonctionnement d'ensemble à un autre sans transformation de l'ensemble* » (C, XXIII, 663), cette transformation étant précisément le changement de phase, qui exige, comme dans une machine thermodynamique, un « montage » préliminaire. Elle montre ensuite que dans une phase donnée de l'esprit il y a certains actes qui sont possibles et d'autres qui sont impossibles, de même que dans un système physico-chimique ou thermodynamique il y a certaines transformations qui sont possibles et d'autres qui ne le sont pas au-dessus ou au-dessous d'une certaine température. C'est ainsi que dans la phase du sommeil le rêve peut très bien se produire, mais non pas la pleine conscience.

La notion de phase permet aussi de faire entrer en ligne de compte les compatibilités et les incompatibilités de tel ou tel état d'un système, et par conséquent de représenter ces gênes mutuelles des fonctions de l'esprit qui ont toujours frappé Valéry tout autant que sa prodigieuse capacité de coordination. De même que dans un système thermodynamique l'énergie requise pour produire un certain travail n'est plus libre pour se transformer autrement, de même, aux yeux de Valéry, l'énergie psychique que nous consacrons à un certain effort n'est plus disponible pour d'autres efforts simultanés. À moins que nous ne passions de notre phase mentale actuelle à une autre — et c'est ici que nous retrouvons le quatrième aspect de l'idée de phase qui a retenu l'attention de Valéry. Depuis la crise de 1892, il était fasciné par les passages, les transitions, ou, comme il les appelle souvent en employant une image musicale, les « modulations » entre les différentes phases de l'esprit. Il avait remarqué que, de même que l'eau peut passer soit lentement, soit rapidement, soit graduellement de sa phase liquide à sa phase gazeuse (la vapeur) ou bien à sa phase solide (la glace), de même la vie de l'esprit comporte des transitions d'une vitesse extrêmement variable (on peut se réveiller très vite ou très lentement, comme on peut d'ailleurs rester à mi-chemin entre le sommeil et le réveil, entre l'inconscience et la conscience). On peut aussi être réveillé soit de l'intérieur, pour ainsi dire, en raison du fait que le « cycle fermé » du sommeil (autre analogie thermodynamique) est arrivé spontanément à son terme, soit de l'extérieur — par un bruit, par exemple — exactement comme la phase d'un système thermodynamique peut être plus ou moins influencée par des interventions venues du dedans ou du dehors.

Cette illustration concrète des différentes raisons pour lesquelles Valéry semble avoir choisi le modèle des phases pourrait servir d'exemple à des analyses analogues des raisons de son choix d'autres modèles. Inutile de dire que de telles analyses gagneraient énormément en précision si elles pouvaient être faites par des spécialistes valéryens travaillant en collaboration étroite avec des physiologistes, des physiciens et des mathématiciens susceptibles d'exposer non seulement les caractéristiques détaillées et les applications potentielles des branches de leur discipline qui ont intéressé Valéry, mais aussi les limites de ces applications, et peut-être également les pièges que représentent certaines analogies plus apparentes que réelles, certains emplois de termes (on pourrait citer le mot *phase* lui-même, ainsi que les mots *ensemble* et *groupe*) dont le sens général risque de gauchir un peu le sens technique. Mais malheureusement ces savants seront difficiles à trouver, car l'esprit interdisciplinaire tellement à la mode dans les déclarations théoriques existe de plus en plus rarement dans les faits, et Valéry restera probablement dans l'histoire de la pensée française un des derniers grands exemples d'une véritable curiosité universelle qui ne croyait absolument pas aux barrières entre les disciplines.

4) La quatrième question qui se pose au sujet du « Système » est une des plus difficiles mais aussi une des plus intéressantes. C'est la question de savoir pour quelle raison (ou plutôt pour quel ensemble de raisons, car il y en a certainement eu plusieurs) Valéry a hésité jusqu'à la fin de sa vie à choisir entre ses différents

modèles de l'esprit. À cette question se rattache une autre qui lui est étroitement apparentée : « Pourquoi Valéry a-t-il laissé presque tous ses modèles, ainsi que les réflexions qui en découlaient, à l'état d'ébauches ? »

Le premier élément de réponse qui vienne à l'esprit — une fois qu'on a tenu compte du fait que malgré toutes ses connaissances dans tant de domaines Valéry n'était ni mathématicien ni physicien ni physiologiste de métier — c'est évidemment sa méfiance profonde à l'égard des systèmes, c'est-à-dire, pour lui, des ensembles d'idées organisées dans des structures permanentes et rigides. (Remarquons en passant qu'il y aurait toute une étude à faire sur la différence dans le vocabulaire valéryen entre son « Système » à lui, avec un *S* majuscule, et le système philosophique, avec un *s* minuscule — différence qui est très bien résumée par la célèbre expression « *mon '' Système '' est absence de système* » (C, XVI, 45). À cette première distinction il faudrait ajouter une deuxième distinction entre le système dans le sens philosophique et le système *fermé* en fonction duquel il définit souvent l'esprit, ce *système* fermé étant autre chose encore que le *cycle* fermé de la thermodynamique.)

Quand Valéry dit qu'il refuse tout système, il ne fait qu'exprimer en d'autres termes son besoin à la fois intellectuel et instinctif de laisser toutes les questions ouvertes, de se maintenir dans « *l'éternellement provisoire* »[4] qui est son univers mental préféré. « *Comment se dire, un beau jour* [écrit-il dans une lettre à André George] *: Je ne penserai pas plus avant ?* » (LQ, 241).

Mais il y a autre chose. Valéry affirme un jour que son « Système » est en réalité « *une collection d'énoncés de problèmes — dont plusieurs, sans doute, auraient plusieurs énoncés* »[5]. Pour lui, c'est cette pluralité d'énoncés virtuels qui importe peut-être le plus, car elle correspond à sa tendance naturelle à chercher le maximum de points de vue sur tous les sujets et tous les problèmes qui s'offrent à sa réflexion. Chacun des modèles qu'il propose dans les *Cahiers* représente un point de vue possible sur le fonctionnement de l'esprit, et on comprend très bien que le grand amateur du virtuel, par opposition à l'actuel, qu'était Valéry n'ait voulu sacrifier aucun de ces points de vue au profit des autres. Après tout, qu'est-ce qui aurait pu justifier le rejet du concept d'ensemble, ou de groupe de transformations, ou de continuité topologique en faveur de celui de circuits électriques, ou de cycles fermés thermodynamiques, ou encore (pour citer un autre exemple de modèle suggéré par Valéry) d'appareils de réception d'ondes électromagnétiques ? Chacun de ces modèles est fondé sur un aspect différent de l'activité de l'esprit, qu'il éclaire d'une façon particulière, et on voit mal pourquoi on refuserait à Valéry le droit de proposer plusieurs modèles différents de l'*esprit* alors qu'on accepte volontiers plusieurs modèles différents, et même dans une certaine mesure contradictoires, de la *matière* (modèles corpusculaire et ondulatoire, macroscopique et microscopique, etc.).

Il n'en reste pas moins, pourrait-on objecter, que le propre des grands novateurs dans le domaine de la science, c'est de choisir *un seul* modèle parmi tous ceux qui se proposent préalablement à leur esprit et d'en pousser jusqu'au bout toutes les conséquences. Cela est vrai dans beaucoup de cas, dont un des plus frappants, l'hypothèse récente de la structure en double hélice du gène, a été confirmée par l'observation. Mais il existe aussi dans toutes les disciplines scientifiques quelques rares théoriciens dont l'apport est d'une nature tout autre : leur principale activité consiste à produire des hypothèses très nombreuses et souvent très diverses qu'il appartient à d'autres savants de vérifier, de mettre à l'épreuve. Peu importe si certaines, et même beaucoup, de ces hypothèses se révèlent, quand on y regarde de près, être de fausses pistes pourvu qu'il en reste une ou deux qui soient suffisamment ingénieuses et suggestives pour ouvrir à la recherche des voies neuves. Il me semble que c'est dans cette dernière catégorie d'esprits, doués d'une imagination particulièrement fertile, qu'il convient de ranger Valéry, en se rappelant qu'à la limite, même si toutes les hypothèses d'un grand théoricien s'avèrent insuffisantes pour telle ou telle raison technique, cela ne diminue pas forcément leur valeur. Cette valeur consiste souvent dans leur rôle d'aiguillon intellectuel, car savoir pourquoi une certaine hypothèse, ou un certain groupe d'hypothèses, ne convient pas exactement au phénomène qu'on essaie d'expliquer, c'est déjà avoir une idée plus juste et plus précise du genre d'hypothèse nouvelle qu'il faudrait envisager. La recherche scientifique ressemble à cet égard, comme Valéry l'a très bien senti, à une série d'*approximations*, par lesquelles, à travers des modèles de mieux en mieux adaptés à l'objet de leur étude, les savants en dessinent de plus en plus nettement les contours.

C'est pour cet ensemble de raisons que le débat qui a eu lieu en 1965 à la décade de Cerisy autour du prétendu « échec » du « Système » me semble un faux débat né de ce que Valéry aurait appelé un faux problème[6]. Il ne saurait être question de parler de l'échec d'une entreprise dont le but était de trouver non pas *une* représentation définitive du fonctionnement mental mais *plusieurs* représentations possibles, qui restaient ouvertes dans l'esprit de Valéry sur tout un avenir de la spéculation et de la recherche. Comme il l'écrit dans une phrase émouvante d'un de ses premiers Cahiers : « *Je travaille pour quelqu'un qui viendra après* » (C, I, 201).

5) Peut-on dire cependant — et ce sera ma cinquième et dernière question — que Valéry ait totalement accepté au fond de lui-même cette multiplicité des manières de concevoir et de représenter l'esprit qui caractérise ses recherches dans les *Cahiers* ? Multiplicité qu'on retrouve d'ailleurs dans les recherches les plus modernes sur le même ensemble de problèmes. Car il importe de ne pas oublier que l'étude du fonctionnement mental reste divisée, pour ne pas dire tiraillée, même aujourd'hui, entre un nombre déconcertant d'approches théoriques et expérimentales, allant de la psychologie traditionnelle avec ses expériences sur le comportement des rats, les modes de réaction à des stimuli, etc. à la psychométrie et à l'analyse des mentalités des groupes et des sociétés, en passant par la neurophysiologie, la cybernétique, la médecine psychosomatique, et les innombrables branches de la psychanalyse, de la psychothérapie et de la psychiatrie. Ces différentes approches, souvent étrangères les unes aux autres, et même dans certains cas franchement ennemies, sont très loin d'avoir trouvé la

« commune mesure » entre tous les phénomènes mentaux dont rêvait Valéry. Car voilà, justement, le paradoxe du « Système » : Valéry cherchait *à la fois* le plus grand nombre de points de vue possibles sur l'esprit *et* un point de vue unique, central qui aurait permis de les unifier tous, la plus grande diversité possible de « modèles » de l'esprit *et* le modèle suprême qui aurait rendu cette diversité superflue. Il savait très bien que tous les modèles sont par définition partiels, mais il y avait en lui un besoin d'unité et de synthèse trop profond pour lui permettre d'en rester là. En quoi, malgré tout le mal qu'il dit des philosophes, il était beaucoup plus philosophe qu'il ne le croyait, et probablement qu'il ne le voulait. Avait-il raison ou tort ? Sera-t-il possible un jour de construire un modèle global de tous les aspects du fonctionnement mental ? Un tel projet, même s'il était réalisable, serait-il théoriquement souhaitable ? C'est à chacun de répondre selon ses lumières propres à cette question capitale que pose implicitement le « Système ».

NOTES

1. Ces barres obliques indiquent une hésitation de Valéry entre deux mots.

2. Lettre du 9 avril 1902 à Gide (*Corr. VG*, 391).

3. Voir *L'Analyse de l'esprit dans les* Cahiers *de Valéry* (Paris, José Corti, 1963), surtout le chapitre III, où on trouvera des détails supplémentaires concernant les principaux modèles du fonctionnement mental envisagés par Valéry.

4. Lettre au R. P. Rideau (*LQ*, 245).

5. « La Création artistique », p. 292 in *Vues* (Paris, La Table Ronde, 1948).

6. Voir *Entretiens sur Paul Valéry* (Paris — La Haye, Mouton, 1968), pp. 16-7, 35-43.

LES MATHÉMATIQUES DE L'IMPRÉCIS

La théorie des sous-ensembles flous
et ses possibilités dans les modèles des sciences humaines

par Arnold KAUFMANN

IL semble que ces deux mots : *mathématique* et *imprécision* ne puissent être associés sans créer, *a priori*, une certaine gêne. La mathématique est une science que régit l'exactitude, l'absolue rigueur du raisonnement, cette rigueur de notre pensée presque inhumaine. L'imprécision est aussi une faculté de notre pensée parce que nous sommes très loin d'être des machines programmées, parce que notre pensée se construit à partir de sensations subjectives, tout simplement parce que nous sommes encore libres. Mais le fossé qui semble exister entre la précision mathématique et le flou poétique ou artistique, n'est qu'apparent ; il tient à une confusion sémantique entre deux termes : *inexact* et *imprécis*. Les mécanismes de la logique doivent être exacts, sans tolérer la plus petite erreur ; mais qui peut prétendre qu'ils soient nécessairement précis ? La précision, dans le langage, dans la communication de l'homme avec l'homme, dans la pensée, est parfois utile, quelquefois nécessaire mais rarement suffisante. Par contre, dans la communication de l'homme avec toute machine à traiter l'information, la précision est une nécessité : à un mot doit correspondre une instruction et une seule, la machine ne peut pas interpréter sans demander de nouvelles instructions à l'opérateur humain qui la commande. Il est un fait que depuis que l'on sait

27

construire des machines très évoluées à traiter l'information, on comprend mieux la différence essentielle existant entre un automate programmé comme un ordinateur et l'homme qui sait en faire les plans ou l'utiliser. Ces machines permettent de mieux comprendre ce que signifie la transcendance de la pensée humaine, laquelle peut naître, hors de programmes imposés, par création, par invention. Si la pensée était en correspondance univoque avec les objets auxquels elle se rapporte, elle ne pourrait pas naître, elle ne serait qu'un programme, une règle de la nature. La pensée s'enrichit par l'imprécision, ou plus clairement comme Valéry, comme Piaget, comme Claparède et d'autres l'ont expliqué, par l'alternance de précision et d'imprécision. Cette imprécision permet l'imagination, ce que l'homme possède, ce qu'aucune machine ne peut faire par elle-même. Mais il n'y a aucune raison de ne pas utiliser des modèles mathématiques imprécis, ce qui ne veut pas dire, répétons-le encore, des modèles mathématiques inexacts. D'ailleurs, si l'on examine le fond des choses, et en particulier dans les sciences humaines, personne, qui soit sensé, n'a jamais prétendu réaliser des modèles exacts. Un modèle est une représentation issue de notre perception et de nos raisonnements accompagnés si nécessaire d'expériences, d'objets réels ou imaginaires. Un modèle est toujours imparfait. Aucune loi de la nature n'est même connue exactement ; elle n'est qu'une ébauche jamais terminée du résultat de nos constatations. La science objective n'est que la connaissance acceptée par un nombre suffisant de savants, en attendant une science meilleure ou autre. Le modèle est ce qui nous permet d'expliquer, d'utiliser, de transmettre.

Peut-on affirmer qu'il existe des modèles mathématiques et des modèles qui ne le sont pas ? La mathématique n'est qu'un langage, avec ses symboles, ses procédés construits à partir d'axiomes et de théorèmes, mais toutes les formes de connaissances sont aussi des langages, eux aussi avec leurs symboles et leurs procédés. Si un littéraire peut enrichir ses constructions en passant par un langage différent comme celui des mathématiques, de la même manière un mathématicien gagnera une grande diversité et une puissance d'invention renouvelée en étudiant les modèles du poète et de l'artiste. Nous travaillons tous avec des modèles, des représentations de systèmes ; notre but n'est-il pas de comprendre ? Et c'est à partir de ce concept le plus général qui soit, le modèle, que je tenterai d'expliquer les recherches et les applications qui concernent une évolution assez récente dans la façon d'utiliser les mathématiques en vue d'en augmenter la commodité dans la construction de ces modèles, plus particulièrement dans les sciences humaines.

Un esprit scientifique se doit d'être objectif, c'est-à-dire de n'accepter des modèles qu'à la condition que la logique formelle et la mesure en soient les fondements. Mais la logique formelle écarte ce qui est flou, refuse la nuance entre le vrai et le faux ; la mesure telle que les mathématiciens la conçoivent doit être précise et répondre à une axiomatique très étroite et stricte. Cet esprit scientifique est celui de la communication avec les ordinateurs qui ne peuvent pas accepter les nuances sauf si elles ont été formalisées et éventuellement mesurées. Il se trouve que le flou, les nuances, l'imprécision sont une nécessité de la pensée naturelle de l'homme ; c'est même sa vraie fortune. Pourquoi le langage mathématique ne serait-il pas adapté à cette nature de nos possibilités mentales ? Pour cela il faut que le langage mathématique soit plus proche du langage naturel, qu'on y admette l'imprécision ce qui n'écarte pas l'exactitude. Et cela est en train de se faire et a donné naissance à une nouvelle théorie appelée « Théorie des sous-ensembles flous ». Cette théorie développée depuis une dizaine d'années, est comme presque toutes les théories nouvelles, un assemblage de théories plus anciennes, mais présenté de façon nouvelle, plus commode, dirons-nous.

Puisqu'il s'agit d'une théorie mathématique, elle est rigoureuse et possède toute l'axiomatique sans laquelle un mathématicien rejetterait ces concepts comme douteux. Elle est l'héritière de travaux plus anciens concernant ce qu'on a appelé (et qu'on appelle encore) les « logiques multi-valentes ». C'est-à-dire des logiques où les valeurs des propositions peuvent être non seulement « faux » (représenté par 0 si cela est pratique) ou « vrai » (représenté par 1 si cela est pratique), mais peuvent être des valeurs intermédiaires. Ainsi, l'affirmation « cet homme est grand » n'est pas une affirmation de la logique formelle mais d'une logique multivalente et subjective, car, de toute évidence, la valeur d'une telle proposition ne sera pas acceptée par chacun exactement de la même façon. Une proposition logique « cet homme est grand » ne peut être introduite telle quelle dans un programme d'ordinateur ; il faut la transformer. La proposition « cet homme a une taille supérieure à 1,80 m » peut être acceptée dans un programme de machine à partir d'un langage formel approprié. D'autres propositions que nous qualifierons de « floues » telles que : « cette commune est riche », « le teint de ce patient est blafard », « l'influence de ce paramètre est forte », « elle n'est ni belle ni laide » et presque toutes les phrases élémentaires ou composées des langages naturels, sont ainsi. La logique ensembliste formelle (celle qu'on apprend à nos enfants — ou que certains voudraient voir rejetée quand elle s'appelle « mathématique moderne ») ne peut pas véhiculer des propositions de ce genre. On sait qu'à la logique formelle on associe la théorie des ensembles et que les deux voies logique ou ensembliste ne sont que des présentations différentes de mêmes concepts généraux. Dans la logique formelle une proposition est vraie ou fausse, dans la théorie ensembliste, un élément appartient ou n'appartient pas à un sous-ensemble constituant le référentiel choisi. Ainsi, pour prendre un exemple d'économie régionale, on considérera l'ensemble des communes d'une région et l'on se fixera un critère de richesse, par exemple le revenu par habitant (il y a bien d'autres critères évidemment), avec un seuil choisi plus ou moins arbitrairement, on décidera que toute commune dont le revenu moyen par habitant est au-dessus de ce seuil est riche, et en dessous n'est pas riche. Cette façon de voir un peu simpliste ne peut donner satisfaction ni aux administrés, ni à l'administration, ni à un économiste distingué. La notion de richesse d'une commune est typiquement une notion floue et si l'on veut traiter des problèmes de ce genre, il vaut mieux utiliser une théorie ensembliste où les nuances, certains aspects objectifs, d'autres subjectifs, certaines particularités, peuvent être pris en compte. On le fait un peu mieux qu'auparavant en utilisant une théorie ensembliste floue, laquelle, disons-le immédiatement, n'est qu'une extension, mais importante et intéressante, de la théorie ensembliste formelle.

Avant d'entrer dans plus de détails concernant cette théorie je voudrais expliquer quelques applications, sans entrer évidemment dans des explications mathématiques qui sembleraient plutôt fastidieuses aux lecteurs. Les applications sont très générales ; partout où les modèles à construire ont, dans les données ou dans les relations, une imprécision qui tient à la nature même, il est préférable de ne pas faire disparaître cette imprécision arbitrairement. Ce n'est pas rendre plus clair que d'appauvrir le contenu des informations. Cette remarque conduit aux applications de cette théorie à la linguistique et à la sémantique. Ces applications ont commencé par des tentatives de réalisation de langages seminaturels entre homme et ordinateur. On ne s'étonnera pas, en cette époque de développement presque fantastique de l'informatique, que les chercheurs se soient penchés avec beaucoup d'intérêt sur la communication homme—machine. Les hommes ont une pensée naturelle floue laquelle, par alternance, se structure et se déstructure, les machines ne peuvent traiter que de l'information formelle ou plus précisément formalisée. Les langages des machines sont des machines abstraites : des automates qui refusent toutes les formes d'imprécision. Pour faire fonctionner les ordinateurs on convertit les instructions de l'opérateur humain, on fait disparaître toute sémantique, les mots deviennent des instruction-machines constituant un code d'une rigidité absolue. Or, depuis une vingtaine d'années au cours desquelles on a utilisé de plus en plus intensivement et extensivement les ordinateurs, on s'est aperçu qu'il y avait un problème important de vulgarisation de la communication avec ces machines. Cette communication se fait maintenant par clavier, écran, imprimante rapide, par la voix humaine, par des dessins, etc. Et l'on commence à retrouver dans la communication homme—machine la nécessité d'introduire les nuances, la sémantique, la diversité et je dirai même le nécessaire désordre qui accompagne le plus souvent et si utilement les langages naturels. Il se trouve que la théorie des sous-ensembles flous commence à apporter des réalisations très intéressantes dans le domaine des langages semi-naturels pour la communication homme—machine. De même que les recherches sur le fonctionnement des ordinateurs et autres automates ont fait avancer la psychologie (en comparant on comprend beaucoup mieux ce qui est spécifiquement humain et transcendant par rapport à la machine), les recherches sur les langages semi-naturels constituent une bonne ouverture vers des recherches plus directement orientées vers la linguistique et la sémantique. Les mathématiques ont pénétré dans ces disciplines, d'abord par la combinatoire et les statistiques et maintenant par cette théorie ensembliste floue. Il est presque exact d'affirmer que la théorie des sous-ensembles flous est purement et simplement l'introduction d'une sémantique numérique ou non-numérique dans la mathématique classique.

Un autre domaine où la théorie des sous-ensembles flous intervient avec efficacité est celui de la décision individuelle ou en groupe. On reconnaît que les principaux problèmes politiques, économiques, de gestion, d'administration, etc., sont des problèmes multi-critères. Il faut entendre par là que les décisions à prendre sont rapportées à de nombreuses fonctions de valeur. Les domaines des sciences humaines qui concernent les décisions individuelles ou collectives se situent dans un espace flou ; c'est-à-dire qu'il est difficile et rare de pouvoir les définir formellement par un point bien précis représentant exactement les positions ou valeurs que l'on a choisies. Le flou fait partie de telles décisions. Alors pour agréger, pour informer et pour tenir compte des autres avis, il faut des modèles adaptés aux imprécisions. La préparation et la justification des décisions économiques et sociales font maintenant appel à ces nouveaux concepts introduits à partir de la théorie des sous-ensembles flous. On s'est beaucoup servi de la théorie des probabilités et des statistiques, et l'on s'en sert et servira de plus en plus mais, ce qui n'est pas objectif, ce qui n'est pas mesurable, ce qui est du domaine de la sensibilité des individus ou des groupes, de leur liberté intérieure, de leurs habitudes, de leurs goûts, tout ce que l'on exprime bien avec des mots et si mal avec des formules, il faut en tenir compte dans les modèles qui servent à préparer les décisions. C'est ce créneau que l'on cherche à couvrir par une mathématique acceptant les nuances.

Un bon exemple d'application et qui est très récent puisque la thèse qui le concerne a été soutenue en janvier 1978 à l'Université de Dijon, est celui de la régionalisation. Le découpage traditionnel en régions est habituellement formel ; un canton ou une ville appartient à, ou si l'on veut dépend d'une région mais ne dépend pas d'une autre pour une administration donnée. Ce découpage est fait d'une façon qui est à la fois historique, géographique et empirique (il peut être aussi politique). C'est généralement une notion de similitude qui est à la base de l'agrégation en régions. Mais les vraies frontières, celles des communications, des échanges, du parler, des goûts, des habitudes, ces frontières sont imprécises et il faut faire une analyse qui tienne compte de cette nature. C'est ainsi que les économistes, les géographes, les sociologues, par exemple, utilisent maintenant une taxinomie floue. Ils abandonnent l'idée de classes d'équivalence (un découpage en régions aux frontières précises en est un exemple) pour des concepts plus généraux qui admettent des superpositions, des appartenances multiples, qui admettent finalement la complication naturelle quand elle existe. Mesurer ce qui est mesurable mais ne jamais écarter ce qui n'est pas mesurable et malgré tout perçu et sensible. La théorie des sous-ensembles flous est en train de transformer des conceptions traditionnelles et rigides dans ce domaine.

Il est des domaines où l'usage de machines comme les ordinateurs semble inutile ou même impossible. Par exemple pour tout ce qui concerne la créativité. On peut nettement affirmer qu'une machine à programmation comme un ordinateur est totalement incapable d'innover, sous une forme ou une autre. Mais nous allons voir par quels détours elles peuvent s'avérer utiles dans la recherche de l'innovation. Il est bien connu que la découverte des concepts nouveaux est effectivement favorisée par des passages alternés de la spécification ou description formelle à l'extension diffuse où se situe presque la rêverie. À partir d'alternances de structuration et de déstructuration de la pensée, les idées nouvelles peuvent sortir plus facilement de l'inconscient de l'individu ou du groupe. Un bon animateur d'un groupe de créativité sait fort bien faire alterner de cette façon les membres du groupe et les rendre ainsi plus créatifs. Cette alternance n'est pas autre chose que des passages successifs du flou au formel puis du formel au flou et ainsi de suite. Alors on a utilisé les possibilités de la théorie des sous-ensembles flous, avec des représentations et des techniques appropriées, pour réaliser ces alternances favorables à la créativité. Et, comme les ordinateurs traitent les problèmes hautement combinatoires des millions de fois plus vite que l'homme, on peut les utiliser pour alterner au rythme le plus favorable. Des programmes de stimulation inventive ont été créés et sont utilisés dans ce but. On peut les employer individuellement ou en groupe. La théorie des sous-ensembles flous est très riche en concepts utiles et commodes pour de tels travaux. On ne laisse à l'ordinateur que des travaux de classement, de calcul, de tri, d'assemblage, qu'il exécute en une fraction de seconde, et cela laisse à l'opérateur humain un temps disponible pour le déploiement des idées, temps qu'il gaspillait en travaux intellectuels que l'on qualifierait volontiers de domestiques. Et si l'on ne dispose pas d'un terminal d'ordinateur, on peut aussi utiliser d'autres processus fondés sur certaines propriétés des concepts mathématiques flous pour améliorer la créativité par des stimuli plus efficaces.

En médecine et en biologie, cette théorie nouvelle apporte aussi des vues nouvelles. D'abord dans le problème si intéressant et important du diagnostic médical. La diversité des causes et des manifestations, la variété des environnements, les possibilités que la science offre, etc., interviennent dans l'aide au diagnostic (ou si l'on veut la préparation au diagnostic, laquelle est une préparation à la décision) ; cette aide peut être considérablement mieux adaptée par la prise en compte de données même imprécises. Le médecin, comme tous les scientifiques, doit utiliser la mesure quand elle convient mais il rencontre tant de données non mesurables qu'il doit constamment associer des mesures et des impressions. Associer la logique et la prise en compte globale qui provient des sensations développées par l'expérience. Le médecin a besoin de modèles pour prendre ses décisions ; meilleurs et plus réalistes seront ses modèles, meilleures seront ses décisions. Les nombres sont utiles mais ils ne forment qu'une petite partie des signes. La théorie des sous-ensembles flous permet de combiner, d'associer ce qui est mesurable et ce qui est « valuable ». Par « valuable » on entend une possibilité d'affecter dans une échelle convenable, une position qui traduit convenablement une sensation. Et la logique floue permet de faire travailler la pensée sur de telles valuations. De son côté le biologiste rencontre des structures extrêmement complexes aux frontières très imprécises ; peut-il utiliser des modèles formels qui obligent à considérer des frontières précises lesquelles n'existent pas ? Il obtiendra des modèles beaucoup plus près du réel avec les concepts flous. Il existe déjà des modèles cellulaires, des modèles de processus de contrôle, de défense, etc., construits avec cette façon plus réaliste de voir et d'essayer de comprendre la nature. De la biologie on passera facilement à l'écologie où des problèmes assez similaires sont à examiner. Les facteurs les plus importants rencontrés dans les problèmes écologiques ne sont pas numériques, et même quand ils le sont une imprécision importante les affecte. On voit mal comment utiliser en écologie des matrices de transfert ou d'influence obtenues à partir de mesures comme on peut le faire parfois en économétrie ; les relations d'influence qui concernent les problèmes écologiques sont des relations floues et l'on sait très bien travailler actuellement avec de telles relations.

Et le philosophe, le littéraire, le poète, l'artiste, trouve-t-il ou trouvera-t-il dans ces possibilités nouvelles des mathématiques un intérêt suffisant pour qu'il fasse l'effort de communication avec le mathématicien ? J'en suis persuadé, mais les mathématiciens auront à faire l'effort principal de leur côté, celui de rendre moins abstraites, moins hautement spécialisées leurs présentations de concepts et de propriétés. Paul Valéry nous a donné l'exemple d'une association parfaite de la rigueur et de la diversité, il faut le suivre ; son œuvre est d'ailleurs une symbiose permanente et magnifique des formes logiques et des formes poétiques. Cette mathématique capable de prendre en compte l'imprécis, il en a souhaité la venue explicitement et implicitement. Les mots employés par les mathématiciens, si on les extrait de leur contexte purement formel, sont bien près de ceux employés dans toutes les sciences humaines : configuration, structure, forme, transformation, etc. Finalement les préoccupations principales sont bien plus proches qu'on ne l'imagine. Les tentatives de rapprochement ne manquent pas et une nouvelle génération de mathématiciens apparaît, capables de réaliser les transferts de connaissances mathématiques dans un langage plus près du langage littéraire, avec la volonté de s'adapter à une pensée plus diversifiée, imprécise mais riche. Et que l'on ne se trompe pas sur ce qu'on entend par « imprécis » ou « flou », la signification de ces mots ne doit pas être péjorative. Rappelons-le encore, il ne s'agit pas de l'inexact mais du réel, du mieux perçu, du mieux représenté.

Il me serait possible de citer beaucoup d'autres applications de la théorie des sous-ensembles flous. Il y a peu de domaines des sciences où l'on publie autant de travaux que dans celui-ci. La bibliographie qui remonte à moins de dix années comprend plus d'un millier d'articles, de thèses, de mémoires, dont la moitié se rapporte à des applications. J'entends souvent affirmer que cette théorie est intéressante mais a été peu appliquée ; c'est inexact (là le mot convient). Les applications foisonnent et elles sont vraiment réalisées dans les domaines les plus divers. Le conseil que je donnerais toutefois, conseil qui est d'ailleurs valable en toutes choses, c'est de ne pas se contenter d'examiner cette théorie et ses applications de façon superficielle. Un long travail personnel ou en équipe est nécessaire pour bien maîtriser les possibilités offertes. Peut-être que le « solfège » à dominer rebutera quelques-uns, mais un travail en équipe devrait permettre d'aller plus vite. Volontairement, dans cet article, j'ai éliminé toute formulation mathématique, ce qui ne signifie pas que dans cette théorie on ne trouve pas de formules, de symboles spéciaux, des axiomes, des théorèmes, etc. Au contraire, il y a beaucoup de formules et des symboles spéciaux en quantité ; les livres qui ont été réalisés et publiés sur les sous-ensembles flous sont très coûteux à la composition et c'est une des difficultés que l'on rencontre pour diffuser des ouvrages sur ce sujet. Je crois toutefois que de telles difficultés sont mineures. Des enseignements bien adaptés aux recherches et aux applications devraient être mis en place dans toutes les facultés et grandes écoles. Pour revenir sur la qualité de la rigueur de cette théorie, elle est aussi satisfaisante qu'un mathématicien pointilleux peut la souhaiter. À la base existe une axiomatique parfaitement au point, toute la construction est bâtie par des théorèmes aux démonstrations sans faille (autrement il ne s'agirait pas de mathématiques). Mais ce que l'on peut dire aussi c'est que, en fait, il ne s'agit pas d'une théorie mais d'une infinité de théories, de variantes, avec des présentations pouvant être aussi différentes qu'on le souhaiterait. Il y a autant de façon d'imaginer l'imprécision qu'on le veut. Ses aspects sont les plus divers, sa prise en compte est subjective mais toujours dans une logique rigoureuse. Le mot *flou* peut prêter à confusion et même peut faire sourire. Les mots utilisés par les mathématiciens, sortis de leur contexte, sont bien souvent amusants. Les concepts sont sérieux, il n'est pas nécessaire que les mots qui les accompagnent soient tristes.

En terminant je voudrais remercier mes amis du Centre d'Études Valéryennes de m'avoir invité plusieurs fois à participer à leurs travaux. Grâce à eux j'ai mieux compris ma propre pensée.

LA FUITE VERS L'OBJECTIVITÉ
CHEZ PAUL VALÉRY

par Yvon Belaval

L E titre est suggéré par Nietzsche et par Dostoïevski dont le 2 et 2 font 5 s'insurge, non plus au nom de la vie et de sa volonté de puissance, mais, plus précisément, de *l'homme souterrain*, contre l'impersonnalité de la science. À vingt ans, on le sait, Paul Valéry fut atteint par « *une passion absurde* » (*C1*, 207), une « *grande maladie mentale d'amour* » (*C2*, 534) : « *Je me suis rendu fou et horriblement malheureux pour des années — par l'imagination de cette femme à laquelle je n'ai jamais même parlé !* », « *que je n'ai jamais connue que des yeux* » (*C1*, 178). La crise se dénoue à Gênes, durant une nuit effroyable, zébrée d'orage — « *Éclairs — chambre visitée d'éclairs* » (113) — entre le 4 et 5 octobre 1892. Si les *Cahiers* parlent à plusieurs reprises de cet amour et de son dénouement, l'*Œuvre* n'y fait qu'une fois allusion, et encore, masque sur masque, est-ce en grec qu'elle désigne les termes du conflit : Νοῦς, Ἐρώς (II, 466-7). Cette crise est celle d'une *dé-cision* — une « *décision-découverte* » (*C1*, 168) — d'une *di-vision* ou *coupure* : en 1933, « *schizophrénie intellectuelle* » (136). À Gênes, Valéry se divise ou décide. Il prend parti pour l'intellect contre l'érotique. Il se garde. Il trouve un système de défense générale contre sa capacité de souffrir en esprit (168, 196). Il

39

s'objective (188-90). Au « *Je souffre, donc je suis.* » (*C2*, 377), il préfère, pour le moins : « *Parfois je pense ; et parfois, je suis.* » (II, 500 ; *C2*, 1388). Il ne *veut* plus se consacrer qu'aux actes de l'entendement. Il fuit le sentiment. On ne fuit pas l'indifférent. On ne fuit que devant ce que l'on redoute ou que l'on aime. On ne l'annule pas. Il reste. Il anime la fuite même. Toute fuite est marquée d'une ambiguïté. Valéry cherchera à résoudre cette ambiguïté par l'exercice volontaire de la pensée le plus *calculé* que possible. Et c'est pourquoi, bon gré mal gré, sa poésie exprime *aussi* une vocation éclatante du sensuel et du sensible.

Il a perçu sa fuite et l'ambiguïté nécessaire et utile de cette fuite. Ange ou bête, contre ses manques, ses lacunes, sa sensibilité exaspérée, il n'avait de recours que dans l' « *extrême fuite — aux extrêmes* » (*CI*, 198). Mathématiques, constructions de l'esprit, tout cela, explique-t-il, en une phrase qui se suspend, inachevée, devant le souvenir de 1892, « *m'a bien gardé contre* » (106). Il ne saurait se reconnaître « *dans une figure finie, et moi s'enfuit toujours de ma personne, que cependant il dessine ou imprime en la fuyant* » (II, 572). Que de fois se plaint-il du *taedium vitae* (en 1922), du temps, de l'ennui de vivre, « *mal rationnel* » (167) ! Comparant, dans « L'Âme et la danse » (150) — composé, comme « Eupalinos », « *en état de ravage. Et qui le devinerait ?* » (*C2*, 535) —, la veille à la vérité (l'objectif), le sommeil au mensonge (le subjectif), il observe : « *Ne cherches-tu pas le réveil et la netteté de la lumière, quand un mauvais rêve te travaille ? [...] — Mais, en revanche, n'est-ce point au sommeil et aux songes, que nous demandons de dissoudre les ennuis [...] ? Et donc, nous fuyons de l'un dans l'autre [...].* » (II, 150). Il avoue : « *Dans certains états des choses de ma vie, il arriva que le travail de poésie me fut une manière de me séparer du " monde ".* » (I, 304) [1]. Il explique : « *J'étais donc assez mal fait pour m'engager à vie dans une occupation qui ne m'intéressait que par ce qu'elle offre de moins " humain ". Je n'y voyais qu'un refuge, un recours [...].* » (1469), comme souvent, dans les mathématiques, un opium (82). L'amour physique ne va pas sans quelque oppression ; inquiétude qui, pour être attirante, n'en est pas moins une inquiétude : « *Voyez-vous, Monsieur* [dit Madame Teste], *il ne faut pas se connaître aux délices pour les désirer séparer de l'anxiété.* » (II, 29). Accroissons cette anxiété, et ne retrouvons-nous pas ces « *unions anatomiques, coupes effroyables à même l'amour* » (I, 1212) dont Vinci ne surmonte l'horreur que parce qu'il en fait un objet de science. En ce sens, « *ce qu'il y a de plus vil au monde* » (II, 500), c'est « *l'Esprit* », car il peut, fuite idéale, s'abstraire, impassible « *devant l'immondice et le crime* », « *la nausée* », « *les remords* », qui « *ne lui sont plus que des objets de curiosité* » : le corps, lui, en est incapable. Surprenons au vif le conflit. À Sète, le lendemain d'une pêche au thon très fructueuse, le jeune Valéry se baigne et, tout à coup, sous l'eau : « *Je reconnus avec horreur l'affreux amas des viscères et des entrailles* [...] *que les pêcheurs avaient rejeté à la mer. Je ne pouvais ni fuir ni supporter* [...] [§]. *L'œil aimait ce que l'âme abhorrait. Divisé entre la répugnance et l'intérêt, entre la fuite et l'analyse* [...]. » (I, 1088-9). Divisé entre la fuite et l'analyse ! Tout Valéry ! Il se décide. Il fuit. Il opte volontairement pour d'autres analyses.

Ces analyses ne sont pas celles de Gide qui « *a* [...] personnalis[é] *sa vie productive* », alors que « [j'ai voulu] dépersonnaliser *la mienne* » (C1, 216). Pas non plus celles de la psychanalyse qui, elles aussi, à leur manière s'intéressent à l'histoire (falsifiée) du sujet, « *de quoi je ne me soucie pas* » (C2, 174) et qui ne donnent « *rien quant aux choses supérieures* » (527). « *Je suis* fait pour *un autre genre d'analyse* » grâce auquel « *je me suis délivré ou débarrassé avec luttes de mes démons 91, — 20, — 32 —* » (528). Pourtant, on se demande — nous ne le faisons qu'en passant — si la psychanalyse ne permettrait pas d'*ajouter* aux observations de Valéry une *interprétation* utile de sa fuite. Car enfin le coup de foudre de 1891 a été préparé. Vers 3 ou 4 ans, un incident inconnu a fait l'enfant craintif, anxieux, écrasé, entre la sixième et la huitième année, de peurs atroces, d'horreurs imaginaires, de tabous — « *Et* [précisera Valéry (significativement par la suite)] *il ne m'est resté qu'une espèce de témérité, (jusqu'à la brutalité) intellectuelle.* » (C1, 137) ; vers dix ans, en classe de huitième, il subit une humiliation qu'il n'oubliera pas, mais laisse dans l'ombre (1237) ; symptôme classique d'une fixation, au seuil de l'adolescence, il mécanise le vivant : « [...] *je voyais toujours l'homme-machine dans l'homme depuis la jeunesse des 14 ans* [...]. » (195 ; cf. 149, 163). Quelle fixation ? Considérons-le à « *six, peut-être 8 ans. Je me mettais sous les draps, je me retirais la tête et les bras de ma très longue chemise de nuit, dont je me faisais comme un sac dans lequel je me resserrais comme un fœtus, je me tenais le torse dans les bras — et me répétais :* Ma petite maison.. ma petite maison. » (144). Avec quelle émotion, presque insolite, bientôt père, le 20 février 1916, Valéry ne s'émerveille-t-il pas de sentir son enfant bouger « *dans le ventre maternel* » (73) ! ; et en 1940 :

> Le premier objet dont tu acquis la science, ne fut-ce pas un sein ? Ta bouche et tes mains rouges se sont appliquées à ce tendre et ferme sein, source et asile, où de quoi boire et dormir attend le jeune humain. C'est là sa première oasis, sa première fête, sa première volupté.
> La tendresse, plus tard, n'est peut-être qu'un souvenir de l'état d'avoir été si faible et d'avoir été traité avec des égards extraordinaires à cause de cette faiblesse. (C2, 534)

Comment retrouver cet état ? Deux rêves d'angoisse ressuscitent, inaccessible, une très belle femme qui se borne à marcher, à passer, ou dont la clef ne peut ouvrir l'appartement (C2, 5, 501). Madame de Rovira ? Avant de répondre, il importe de remarquer — l'a-t-on fait ? — que la fameuse nuit d'orage de 1892 *répète* le « *jour du gros orage, près de la fenêtre, serré contre ma mère* [...]. *J'avais au plus 3 ans* » (C1, 178). On voudrait avoir le portrait de madame de Rovira et celui de la mère de Valéry.

Consciemment, Valéry veut fuir la sujétion de la passion ou, si l'on préfère, le subjectif de l'être ou du jugement : être irréel plutôt (C2, 432), Moi singulier instable (C1, 279 ; C2, 1164), pris entre ses souvenirs falsifiés et l'avenir, « *état désordonné du possible* » (C1, 1320), voué aux sentiments dont l'expression « *est toujours fausse,* inutilisable » (C1, 75 ; cf. C2, 346, 360, 376), entraîné par des événements, une histoire qu'il subit sans les inventer (C1, 214, 679), bref, jouet de la vie, « *l'étranger dans la pensée — l'ennemi* » (C2, 337). Soit le corps : « *On dirait que l'isthme du gosier est le seuil de nécessités capricieuses et du mystère organisé. Là, cesse la volonté, et l'empire certain de la connaissance.* » (II, 149). Nous subissons les voix élémentaires de la chair (« *M. Teste* [...] *pense que l'amour consiste* à pouvoir être bêtes ensemble, — *toute licence de niaiserie et de bestialité* », 33), en sorte qu' *« On peut exciter aussi aisément l'horreur de la vie, l'image de sa fragilité, de ses misères, de sa niaiserie, que l'on peut exciter les idées érotiques et les appétits sensuels » (I, 1246). Irons-nous accepter l'immédiat sensible (1387), les « *sottises, débilités, inutilités, imbécillités, imperfections* » des émotions (II, 70 ; *C2*, 377), le plaisir et la douleur qui gênent la « *construction intellectuelle* » (I, 1298) ? Non. Nous devons rejeter ou, du moins, trouver un moyen pour neutraliser, l'intuitif concret (93), l'immédiat sensible (à ne pas confondre avec l'intuitif abstrait ou formel, *tel quel* en son désordre, mais qui éclaire [II, 473]), l' « inconscient, *l'*irrationnel, *l'*instantané, *qui sont, — et leurs noms le proclament, — des privations ou des négations des formes volontaires et soutenues de l'action mentale* » (I, 1241), les paroles « *enfantines* » du cœur (II, 33), la sensibilité vulgaire (« *la plus — humaine* », I, 67), le « *chaos de l'esprit* » (1499), l'arbitraire, l'accidentel, le facile (II, 11) ce qui surprend l'esprit sans l'illuminer en lui-même (I, 304) . « *'' Nierez-vous qu'il y ait des chaos anesthésiques ? Des arbres qui saoulent, des hommes qui donnent de la force, des filles qui paralysent, des ciels qui coupent la parole ? ''* [§] *M. Teste reprit assez haut :* [§] *'' Eh ! Monsieur ! que m'importe le ' talent ' de vos arbres — et des autres !... ''* » (II, 22) ; « *Les bras d'une Berthe, s'ils prennent de l'importance, je suis volé, — comme par la douleur...* » (25). Ce que fuit Valéry, c'est le moi privé, avec son « *babillage* » (27), ses « *bafouillages* » (1466), son « *humain* » confondu avec le « *commun* » (I, 620), ses souvenirs, sa sincérité : *« Ce qui vaut pour nous seuls ne vaut rien » (1377), et encore : « *'' Bons ou mauvais* [écrit-il à André Fontainas en 1926], *je n'aime pas les souvenirs* [...]. *Les mauvais sont pénibles. Les meilleurs sont les pires. Je crains de me revoir et je fuis ce qui fut.* » (50 ; cf. 1467). À quoi bon « *les analyses ridicules des faiseurs de mémoires* » (*C2*, 1160) ? tout ce qu'un homme « *peut cacher* *est évident* ». L'autobiographie est détestable. L'égotisme d'un Stendhal est de la comédie : « *L'Égotisme littéraire consiste finalement à jouer le rôle de* soi ; *à se faire un peu plus* nature *que* nature ; *un peu plus soi qu'on ne l'était quelques instants avant d'en avoir eu l'idée.* » (I, 566). On devine ce qu'il convient de penser d'un Gide — non nommé, mais il le lui a écrit le 16 octobre (II, 1465 sqq.) — ou d'un Rousseau, car « *depuis que l'on a inventé '' la sincérité'' comme valeur d'échange littéraire (ce qui est assez admirable dans un empire de la fiction) il n'est de tare, d'anomalie, de réserve, qui ne soit devenue chose de prix : un aveu vaut une idée* » (I, 1466) ; « *[...] je préfère, en ce genre, Restif à Jean-Jacques, [...] M. de Seingalt à M. de Stendhal.* » (1466-7) ; ah ! « *Ce n'est pas moi qui m'appliquerais à tenter de recouvrer le temps révolu !* » (1467). Si fortement demeure le refus volontaire de tout ce qui, comme l'amour, est vague, nous domine et nous jette dans le désordre, que Valéry juge indigne l'enthousiasme (I, 1204 ; « *L'enthousiasme n'est pas état d'âme d'écrivain.* », C2, 1016) et ne veut rien devoir à l'inspiration qui réduit « *le poète à un rôle misérablement passif* » (I, 1376). Meurtri et éclairé, Valéry a choisi de se rendre maître et possesseur de *sa* nature.

Pour défendre Moi contre Moi (*C1*, 832, 227), la décision-découverte, en 1892, consistait à s'apercevoir « *que les mots sont des mots ; les images, des images ; que l'on n'en sort pas ; que c'est un Système fermé* » (604), insensible comme le mouvement de la Terre, oubli qui nous cache « *la* confusion *de nos mots avec les choses, [...] des choses avec nos propriétés, etc.* ». Il suffit de dissiper la confusion pour avoir un « Système » qui refuse toute valeur « vraie » aux évaluations et aux mots reçus (167). Du coup, on se divise, on s'absente (140) par la déréalisation réflexive de la passion : « *Depuis 1892 — je vis d'un regard* transposé *tel que toutes choses m'apparaissent* moindres *que* x — ? », un « *regard qui rend* toutes choses égales » (121). Car il n'est plus qu'à prendre les mots pour des mots, les images pour des images (835), les souffrances pour des souffrances, alors le « *jugement sauveur* » (1033) prononce : « '' *Ce sont des phénomènes mentaux* '' », le Moi connu (et éprouvé) se sépare du Moi connaissant (et impassible) : « *Le* Je *et le* Me *sont distincts* ». La douleur est douloureuse, l'idée de la douleur ne l'est pas, professait Lachelier. Le secret de la décision-découverte était de transposer le trop vécu en phénomènes : « *toute chose me devient* φ*énomène* » (104), apparence insignifiante pour un observateur enfin indépendant (848, 178, 851, 196). Si Valéry n'avait réduit Spinoza à « *pauvreté* », « *inutilité* », verbalisme (749, 750), on croirait qu'il s'inspire de sa leçon : l'effet de la passion est aboli par la connaissance de ses causes ; « [...] *quand je me suis rendu compte qu'une obsession psychique qui me tourmente est une obsession psychique, n'était qu'une perturbation "locale", que les idées et images offensives [...] n'étaient que des produits " de moi "*, *des* idées à *force de sensations et perturbations de vie* [...]. », ces phénomènes tendent à être reclassés dans les non-valeurs (C2, 379). La sensibilité en général se définit : une « *production d'effets, incommensurables avec leurs* causes » (C1, 1173 ; cf. C2, 340). Cause et effet n'en restent pas moins inhérents l'un à l'autre : le phénomène a un réel. En théorie, l'*objectivité* se résume en « *la considération de toutes choses moins le sentiment* » (C2, 346). En fait, le sentiment, « *à demi-phénomène* [*n'*]*entre pas exactement* [...] *dans le groupe des phénomènes.* » (349). Comme chez Kant (hélas ! encore un philosophe !) l'*intensité* anticipatrice des phénomènes trahit leur adhérence à un substrat inconnaissable.

Ce substrat, en soi inconnaissable, c'est le monde, systèmes de déséquilibres énergétiques, où se limite, par conséquent s'abstrait (puisqu'il n'y a pas vraiment de limites) notre corps qui, à son tour, toujours par déséquilibres énergétiques, limite, ou abstrait, nos actions et notre pensée (C1, 1122). L'ensemble du système universel ne cesse de déterminer énergiquement des sous-ensembles qui, pour s'en tenir, en gros, à ceux qui font apparaître les phénomènes, sont : le corps, la sensibilité *créatrice* des idées et images (1187). En chacun de ces sous-ensembles, l'énergie (probablement, d'abord, la thermodynamique de Poincaré) opère par transformations, substitutions combinatoires : elles seront, à l'échelle des phénomènes, l'objet des analyses valéryennes. Nous n'avons pas à

45

exposer, pas même à définir, le « Système » (inachevé) de Valéry :
nous n'en gardons que ce qu'il faut pour comprendre sa fuite
devant la sujétion de la passion. Une remarque, pour lui capitale,
est que « l'*intensité* », dont nous venons de dire pourtant qu'elle
trahissait l'adhérence au réel, n'a pas (exemples : une rage de
dents ou d'amour) de valeur « *significative* » (1158) : « *la douleur
n'est pas finaliste* » (1167). Donc, une fois de plus, je dévalorise la
passion. Faisons le point. La décision-découverte de 1892 décide
(divise) et découvre (invente) : 1) que la passion n'est qu'un phénomène parmi d'autres ; 2) que chaque ensemble de phénomènes
constitue (*« Ma petite maison... ma petite maison. », 144) un
sous-ensemble clos, dont je puis observer et analyser les transformations de groupes ; 3) que l'*intensité* du sensible ne prouve pas
un surplus de réalité compréhensible. Par trois fois au moins, un
abri.

Considérons le phénomène tel qu'il se déploie devant nous. Il
est clair ou, plus précisément, il semble clair que les sensations
nous l'imposent, car « nous n'avons aucune action directe sur nos
sensations. *Tout mon vouloir ne peut modifier par lui seul telle
couleur présente.* » (*CI*, 1201). Et qu'offrirait-il d'objectif ? « *Si l'on
exprimait (en mots) exactement ce que l'on perçoit, on serait inin-
telligibles.* [§] *Car on ne voit pas d'*arbres, *mais des* formes
vertes — *c'est-à-dire des* gestes vagues *de tracements et de cir-
conscription, et des couleurs. N[ou]s savons aussitôt que ce sont
des " arbres " ; mais n[ou]s ne le voyons pas et ne* pouvons le
voir. » (1203). Comment le savons-nous ? Ce ne peut être que par
l'intervention d'une autre activité que celle de la sensation, même
si elle en résulte par différence de potentiel énergétique. Voici :
« *La première démarche de l'intellect est de refaire au plus vite ce
que la sensibilité vient de peindre, de sonner, de perdre et improvi-
ser sur le rien.* » (1157). Dès lors, les sensations n'imposent plus :
elles proposent. « *La tâche de l'intelligence, et de sa pureté sceptique, est de rendre* relatif *ce que le sens et le corps présentent
comme* absolu. *Elle doit donc découvrir ou imaginer les opérations, (déplacements de point de vue etc.) qui rendent les choses /
phénomènes / parties de quelque relation — qui doit s'annuler.* »

(1167-8). Ainsi, « *on ne perçoit que le significatif* » (1154) parce que la perception fait *partie*, en relation avec d'autres *parties*, d'un tout perçu, d'un contexte phénoménique. En d'autres termes, « la perception est un vrai langage » : elle combine l'élément subjectif de la sensation avec une « valeur de veille *ou de présence* » (1175) (le réel étant ce dont on ne se réveille jamais) : elle renvoie à son contexte ; elle fait signe vers ce qui lui manque, « passé, futur ou possible » ; c'est par la relation (non par l'intensité) qu'elle *transite* et cherche un universel. À partir de la sensation brute, la passion appelle l'action, le présent le possible, l'insignifiant intensif le signifiant qualitatif, le transport énergétique l'information, le langage.

Nous pouvons maintenant passer de l'esprit à l'état naissant (à même le corps avec ses sensations et ses phénomènes) à l'esprit qui se réfléchit en ses actes. Du pensé au penser (*CI*, 181). Du subjectif à l'objectif. *Objectif* d'abord, c'est *objet*. Le sérieux vient du corps, notre *« système de référence » (1127) l' « *invariant réel de toutes les transformations mentales* » (1135) : « *L' " âme " sans corps ne ferait que des calembours et des théories.* » (1120). Aussi, mieux vaut « *l'éclat du moindre fait* » (II, 25) que le chaos d'un rêve. Un objet rassure et repose. Voir, « *et savoir qu'on voit* » (322) ; toucher, « *et d'un seul coup, je trouve et je crée le réel* » (333). Contre Bergson qui fluidifie (*CI*, 664), Valéry préfère le net, le solide, le sec, l'immobile, le clair, le géométrique — l'intelligible. Trois ou quatre images favorites : le *diamant* ou le *cristal*, la *fleur*, la *coquille* (I, 298, 887) « *objets privilégiés, plus intelligibles à la vue, quoique plus mystérieux à la réflexion, que tous les autres que nous voyons indistinctement* » (887), ayant « *tout ce qu'il faut d'*humain *pour se faire comprendre des hommes* », mais aussi « *tout ce qu'il faut d'inhumain pour nous déconcerter* »... Les percevoir, c'est réfléchir, abstraire. Attention ! Il ne s'agit plus de l'abstraction — effet dont parlait (improprement) Valéry pour dire que le corps se découpe dans la continuité énergétique, et les états psychiques dans le flux de la conscience : l'animal subit cet effet. Il s'agit de la véritable abstraction qui sépare *par la pensée* ce qui n'est pas réellement séparable. En ce sens, abstraire revient à *construire* par la pensée, car l'homme ne « *fabrique* [*que*] *par abstraction* » (II, 123), *« comprendre » (I, 325) et non *« réagir » ou subir, c'est-à-dire agir (C2, 654), « *savoir Faire* » (697), « *inventer* » (C1, 85), former du possible, s'élever vers l'*universel*, par quoi, une deuxième fois, se définit l'*objectif*. Plus loin. N'opposons plus la sensibilité à l'intelligence : la danse a une âme ; un son n'est pas un bruit, une courbe géométrique n'est pas un gribouillage (I, 1403, 1482, 887). Ma sensibilité intellectuelle, explique Valéry est « *presque entièrement attachée à la défense, préservation et augmentation de la liberté de ma pensée* » (C1, 79-80), contre « *l'humiliation intellectuelle causée par l'amour* » (80) et « *la plupart des choses* vitales ». Cependant, l'*instinct* la rattache au vital ; avec ses passions, émotions, affections propres, elle est « *l'application de la vie à ces activités qui ont pour objet le* comprendre *et le* construire » (623). L'intellectuel est sensible à ses objets. Il en a une connaissance *claire*. Il en aime les formes. Il en estime l'*art*. Il se soumet à une éthique de la Forme (I, 1497). Sans cette sensibilité, il n'y aurait rien d'ineffable dans une œuvre. Mais la *formation* d'une forme — un cristal, une fleur, un arbre, un coq (II, 128), une coquille — nous échappe quand elle est naturelle ; sa *construction* — un cercle, un temple, une sonate — nous appartient, quand elle est volontaire. Des *actes* ou *opérations* de construire, nous avons une connaissance *distincte*. Cela est évident par les mathématiques, opérations réelles et non, comme en philosophie, simulées (C1, 465, 573, 696-7), actes du tracer géométrique (1186, 782), ou science des actes vides en algèbre (C2, 803, 816). Rien d'équivoque. Nous sommes au plus haut degré de l'objectivité. Ces « *actes d'une pensée* » (II, 128) dépendent de *principes séparables* de la construction — ce qui n'est pas le cas pour les *formations* naturelles. Que ces principes soient des conventions, n'importe ! l'acte demeure certitude, « *il n'y a pas de scepticisme possible à l'égard des règles d'un jeu* » (I, 741) ; des procédures de méthode ? Soit ! « *je regarde bien plus amoureusement aux méthodes qu'aux résultats* » (1472). De toute manière, l'esprit n'est, n'est « *en acte* » (C1, 1047), que parce qu'il « *est de la nature d'un '' acte ''* » (911) ; « [...] *c'est dans les actes, et dans la combinaison des actes, que nous devons* *trouver le sentiment le plus immédiat de la présence du divin, et le meilleur emploi de cette partie de nos forces qui est inutile à la vie, et qui semble réservée à la poursuite d'un objet indéfinissable qui nous passe infiniment.* » (II, 142-3).

Au contraire du sentiment, l'acte voulu est univoque. Il nous débarrasse des *significations* ployables en tout sens. Un texte autre que scientifique n'a pas de vrai sens (I, 1507, 1509). « *Un " Fait " est ce qui se passe de signification.* » (II, 523). Encore une fois, « *La Science n'est que des actes. Il n'y a de science que des actes. Tout le reste est Littérature.* » (C2, 859). L'acte s'exerce dans l' « *exacte correspondance entre mes vœux et mes puissances* » (II, 92), il mesure « *la justesse dans les pensées* ». « *Quelle merveille* », les « *discours aux ouvriers* » (83), ajustés si heureusement à leurs actes ! Quand nous ne retenons que des rapports, alors discours, raison, calcul, « *un seul mot dit ces trois choses* » (113). « *J'étais affecté du mal aigu de la précision.* » (11) confie Paul Valéry. Ce mal devait le pousser, dès « *le changement volontaire qui s'est fait en [lui]* » (I, 21), dans *La Soirée avec M. Teste* (de 1894) et l' « Introduction à la méthode de Léonard de Vinci » (de 1895), à l'analyse des actes de l'esprit, à l'objectivité des mathématiques, de la physique, et même de la médecine. Il lui dictait et édictait une maxime ! « *S'interdire tout mot qui ne représente un acte ou un objet bien net* — » (C1, 421), ou encore — écrit-il à André Lebey — : « *Se refuser tous les mensonges intellectuels, et ne jamais se satisfaire de mettre un* mot *à la place d'un* pouvoir réel. Ma nature a horreur du vague...* » (I, 43 ; cf. C1, 19, 217, 428).

Il voulait fuir. Se fuir. *Hostinato rigore.* Opposer à ses « *diables* », aux « *connexions irrationnelles tissées* » en son Moi (C1, 859), la *connaissance*. « *Et qu'est-ce que connaître ?* — C'est assurément n'être point ce que l'on est.* » (II, 168). Et, plus loin : « *L'auteur n'est qu'un détail à peu près inutile.* » (185). Il n'existe qu'à la mesure de son imperfection subjective, car : « *Ce que je nomme* Perfection *élimine la personne de l'auteur ; et par là, n'est pas sans éveiller quelque résonance mystique, — comme le fait toute recherche dont on place délibérément· le terme " à l'infini ".* » (I, 453).

Cependant, il a bien fallu — la vie est à ce prix — qu'entre la subjectivité trop dangereuse et l'objectivité-refuge, Valéry composât. Il a composé. « " *Sociable* " *en surface* », « *séparatiste* [...] *en profondeur* » (*CI*, 136), « *extrêmement sociable et infiniment solitaire* » (92 ; cf. 102), il lui a été facile et, sans doute, agréable de composer avec le monde, d'y montrer cet homme *public*, à la conversation éblouissante, qui triomphait dans les salons, les académies, les présidences, les inaugurations. L'homme *privé* restait intact. Chaque matin, quand tout dormait, il rejoignait sa solitude protectrice. Il a rouvert, pendant cinquante et un ans (1894-1945) ses Cahiers. Il repoussait ses souvenirs, distanciait ses sentiments, pour se consacrer à l'esprit. Vouloir, comprendre, faire, construire, préciser : ces mots commandent aussi toute son esthétique. Il pense à Edgar Poe. Il a été « frappé au plus profond », le 9 septembre 1898, par la mort de Mallarmé : « *Depuis ce jour, il est certains sujets de réflexion que je n'ai véritablement jamais plus considérés.* » (I, 620). Philosophiquement — si l'on peut employer ce mot pour un mépriseur de la philosophie — entre le conventionnalisme de Poincaré et la relativité d'Einstein, transposée en relativisme, ce penseur, dont le sang italien est si lourd, observe notre décadence, chaque fois qu'il jette un regard sur le monde actuel. Intellectuellement, il est sans espoir. Il se soutient par volonté. Il se sauve par le travail, chaque jour son travail d'aurore.

Par ce mouvement de fuite et d'arrêt, on comprend mieux son attitude devant le langage. Maurice Merleau-Ponty a noté que la défiance de Valéry « *envers le langage n'était qu'un cas particulier de sa défiance envers une vie qui ne se soutient que par des prodiges incompréhensibles* » [2]. En effet, Valéry situe le langage entre la sensation et l'algèbre, le subi et l'opératoire, le mutisme d'avant les mots et la résolution des mots en actes. À partir de la sensation, il rencontre d'abord la parlerie quotidienne et le démotique : il ne veut pas de cette prose qui « *ne témoigne que d'un accord passif des hommes, et non seulement passif mais implicite* » (*CI*, 417, 428) ; elle est trop vague, elle est sans beauté : « *Sans doute, le langage commun servira-t-il toujours d'instrument initial et général de la vie de relation extérieure et intérieure ; il enseignera toujours les autres langages consciemment créés ; et ajustera aux esprits non encore spécialisés ces mécanismes puissants et nets. Mais il prend peu à peu par contraste le caractère d'un moyen de première et grossière approximation.* » (I, 1265-6) ; quant à la beauté, dans la pratique, « *il est attaché de si près au " moi ", dont il exprime, par le plus court, tous les états à lui-même, que ses vertus esthétiques (sonorités, rythmes, résonances d'images, etc.) sont constamment négligées, et rendues imperceptibles* » (1414). Au démotique, préférons la prose savante. Encore importe-t-il de distinguer. Pour être savante, cette prose sera précise. Cette exigence exclut les romans, les confessions, les drames, « *misérables éclats, [...] des états rudimentaires où toutes les bêtises se lâchent, où l'être se simplifie jusqu'à la sottise ; et il se noie au lieu de nager dans les circonstances de l'eau* » (II, 38 ; cf. *CI,* 45, 67). Elle exclut la philosophie, dont il est seulement permis d'emprunter « *la couleur* », mais « *affaire de forme* » (II, 274), à rejeter « *parmi les Choses vagues et les Choses impures* » (12), elle et ses univers qui « *n'existent pas* » (86). L'exigence de précision ne laisse subsister en littérature que les essais, les dialogues socratiques, les discours cérémoniels. Leur langue est classique. Elle ne dit pas *avancer,* mais *procéder* ; *je vous remercie,* mais *je vous vous rends grâces* (ago gratias). L'auteur proteste que ces archaïsmes ne sont pas volontaires et que, peut-être, s'y trahit une « *italianité syntaxique* » (*CI,* 281-2 ; cf. 402). On doit le croire, s'il veut dire qu'il ne s'efforce pas de trouver, un à un, tel latinisme, tel imparfait du subjonctif, etc. Il n'en écrit pas moins qu'après avoir tendu ses cordes sur un certain ton classiciste. Quoi qu'il en soit, au-dessus de la prose, même savante, au plus haut des Lettres — on n'aurait plus ensuite que l'algèbre des sciences — s'élève le langage du poème. En contraste avec la prose, il se caractérise par « *l'observance des formes conventionnelles* », « *la musicalité continue* » (I, 304), un « *univers de relations réciproques, analogue à l'univers des sons, dans lequel naît et se meut la pensée musicale* » (1502).

Entre ses premiers vers de collégien (1884) et le coup de foudre, Valéry s'est voué à la poésie : en 1891 encore il publie, dans *La*

Conque, l'état initial de *La Jeune Parque*. Survient la crise. « *Il s'est produit, chez moi, vers 92, un certain mépris de la poésie et des poètes dû à la considération des faiblesses de l'esprit que je trouvais dans la plupart, même des plus célèbres.* » (*C1*, 183) ; il incrimine sa propre faiblesse à « *faire de la* composition » (271) ; la poésie lui procure une « *sensation d'infériorité intellectuelle* » (196). Dans ce mépris, cet abandon, force lui est aussi de reconnaître, une « *volonté de défense contre Moi trop sensible. Peur de Moi.* » Et il parlera de « refuge » pour expliquer, après vingt-deux ans de silence, pendant la Guerre de 14, son retour à la poésie : elle fut pour moi « *refuge, travail infini — repli* » (284). Au total, elle « *n'a jamais été pour moi un but* », mais un exercice (238), « *elle n'a tenu [dans ma vie] qu'une place tempérée* » (215). Il faudrait donc ne voir dans la poésie de Valéry qu'un de ces exercices volontaires de l'intellect où il s'abstrait et se distrait : mathématiques, physique, médecine, et toutes les analyses de l'esprit qu'il consigne dans ses Cahiers. Et pourtant, il ne le faut pas. Valéry n'a pas laissé de nom dans l'histoire des mathématiques ou des sciences ; il n'a pas réussi non plus à organiser ses analyses en Système. Il a laissé un nom dans l'histoire de la poésie.

On devine vite pourquoi, dans la poésie, il retrouve un exercice de précision volontaire, en partie comparable à celui du mathématicien, du savant, de l'analyse fine de l'esprit. Même exclusion des sentiments privés (*C2*, 1094) ; même « *état d'invention perpétuelle* » (1077) ; même « *fête de l'Intellect* » (1079). Ici et là, un *« faire » (*C1*, 156), la *« Musique des actes » (355) assez exacte pour qu' « *un seul mot qui manque empêche tout* » (II, 552). Donc, chez le poète aussi, un *faire* véritable, à sa façon : « *la vérification esthétique ou excitante des combinaisons verbales* » (*C1*, 318), et « *l'idée d'une parfaite pensée* » (*C2*, 1073), bien que ce ne soit pas « *une vraie pensée* ». Ce n'est pas une « *vraie pensée* », parce que la vérification esthétique n'est ni preuve, ni déduction de conséquences physiques. Cependant le *faire* du poète est proche de celui du mathématicien. Que dit le mathématicien ? Les preuves ou expériences qu'on fait en mathématiques « *ne se font pas sur la chose même, mais sur les caractères que nous avons substitués à la place des* *choses* » [3]. Que dit le poète ? La « *cuisine verbale de la poésie me faisait bien voir que si n[ou]s pouvons combiner les mots, c'est qu'ils ne sont pas — — des* choses. *Ainsi* penser *(au sens actif) c'est à la fois tenir les sens de mots pour* choses, *pour non-mots — et cependant les combiner comme des jetons libres, ou modeler les images adjacentes comme couleurs ou lignes ou glaise* » (*CI*, 167). Le mathématicien travaille sur les signes substitués aux choses ; le poète sur des mots transformés en choses parce que le sens et le son n'y font qu'un.

C'est donc bien avec l'art des vers que, dans une unité supérieure, le subjectif et l'objectif se rejoignent, que la fuite devient accueil, que la blessure se referme. Quand Valéry définit le poète : « [...] *un homme pour qui les sons du langage ont une importance égale (*égale, vous m'entendez bien *!) à celle du sens* » (I, 1079), il s'exprime comme Roman Jakobson et, avec lui, le Cercle de Prague, fondateurs de la phonologie (différente de la phonétique), quand ils découvrent que la poésie, jusqu'à eux écartée de la science, doit, à l'inverse, proposer l'objet essentiel de la linguistique. Par sa musicalité continue et ses relations réciproques, « *Le lyrisme est la voix du* moi, *portée au ton le plus pur, sinon le plus haut. Mais ces poètes parlent d'eux-mêmes, comme les musiciens le font, c'est-à-dire en fondant les émotions de tous les événements précis de leur vie dans une substance intime d'expression universelle.* » (429) ; alors, les poèmes produisent leurs beautés « *comme les fruits délicieux de leur cours d'apparence naturelle* » (453), leur « *" sensibilité "* » (1482) ne se distingue pas plus de « *" l'intelligence "* » que l'esprit de « *" finesse "* » de « *" l'esprit de géométrie "* ». Elle ne s'obtient, cette sensibilité, que par l'art le plus volontaire. Cette subjectivité pure exige l'objectivité d'un métier dont les manœuvres sont aussi calculées que possible. À l'instar du dieu grec, le poète, selon Valéry, est le géomètre, l'architecte du monde harmonieux et harmonique qu'il invente, « *et il* n'aime pas ce qu'il n'a pas inventé » (316).

On voit donc la double distanciation qu'opère le poème : d'une part, à l'égard de la sensibilité viscérale, vécue, qu'il change en sensibilité musicale, conçue ; d'autre part, à l'égard de la prose commune, aux actes indistincts, qu'il change et recompose, après analyse, en une syntaxe de précision. Cette distanciation, Valéry en augmente l'effet par un classicisme d'avant notre temps, notre quotidien, qui nous restitue quelque chose du temps mythique, par une langue que nous ne parlons pas à l'ordinaire, par des images où ne se forment que des animaux hiératiques, comme le cygne, des plantes de culture grecque ou latine, comme le platane, le grenadier, par un monde où l'on s'appelle Hélène, Orphée, Vénus, César, Narcisse, Socrate, Phèdre, Eryximaque, et où l'on rencontre des nymphes.

En fait, dans le privé des sentiments, Valéry n'a pu fuir. Au seuil de la mort, au plus pudique (trahi par une traduction inutile en anglais), il avoue : « *Je connais* my heart, *aussi. Il triomphe. Plus fort que tout, que l'esprit, que l'organisme. — Voilà le fait.. Le plus obscur des faits. Plus fort que le vouloir vivre et que le pouvoir comprendre est donc ce sacré* — C — — » ; mais il ajoute : « " *Cœur* " — *c'est mal nommé. Je voudrais — au moins, trouver le vrai nom de ce terrible résonateur. Il y a quelque chose en l'être qui est* créateur *de* valeurs — *et cela est tout-puissant — — irrationnel — inexplicable, ne s'expliquant pas.* » (*C2*, 388). En d'autres termes — revanche de Nietzsche — l'intellect ne s'isole pas. Son objectivité s'enracine dans la subjectivité qu'il veut fuir, Son vouloir même est subjectif. On se cache. On ne se tue pas. On refuse d'être mystique.

Reste que divisé par sa décision-découverte, Valéry, contre Gide, édifie, dans le silence de l'aurore, une œuvre où il dissimule son Cœur créateur. Prose et vers. Prose souvent de circonstance, commandée par un éditeur, l'Académie, un Collège, des médecins. Vers, prétextes à problèmes de poïétique. Curieux de tout et questionnant sur maintes choses. Faust qui ne croyait pas au diable et n'attendait rien que de soi. Œuvre diverse, comme l'œuvre scientifique de Pascal résolvant les difficultés une à une sans les composer en système. Cahiers, Notes, Fragments, Ébauches...

Œuvre singulière. Il faudrait la mettre à l'épreuve de ses contraires : Antonin Artaud, le délire du subjectif — et pourquoi pas Nietzsche, avec sa tête de « *chef d'orchestre danubien furibond* » *(CI, 534)*, dont Valéry ne comprend pas l'importance *folle* qu'il s'accorde et dont il ne retient que l'essai, malheureusement avorté, d'une « *logique à base de réflexe* » (567) ? — Gide, professionnel de la sincérité. Autre contraire, par le style et l'amas affreux de viscères : Céline. Autre contraire, par le choix du démotique — alors qu'ils sont si proches par la volonté et le calcul : Raymond Queneau.

Œuvre qui doit peut-être sa singularité à la fuite devant la singularité d'une passion.

NOTES

1. Par exemple, pendant la Guerre, en 1915-1916, quand il se remet à la poésie, après 22 ans de silence, pour écrire *La Jeune Parque*. Voir la lettre à Albert Mockel, de 1917, citée I, 1629.

2. *Résumé des cours* (Paris, Gallimard, 1968), p. 24.

3. LEIBNIZ, dans L. COUTURAT, *Opuscules et fragments inédits de Leibniz* (Paris, 1903), p. 155.

VALÉRY ET LE REFUS
DE LA PENSÉE SCIENTIFIQUE

par Jean HYTIER

DANS une étude consacrée aux différentes manières dont pouvait être abordée l'œuvre de Valéry, je m'étais interrogé sur ce qu'il pensait de la légitimité de ces méthodes, et j'avais dû constater qu'il les répudiait en les accusant d'impuissance. La pensée de Valéry se caractérisait comme un système de refus. Elle revenait inlassablement sur des problèmes favoris qu'elle approfondissait sans jamais s'arrêter à une solution. Je suggérais en conclusion que cette conduite de refus représentait aux yeux de Valéry le mouvement même de l'esprit [1].

En examinant la première des options, j'avais considéré les positions prises publiquement par Valéry à l'égard de la pensée philosophique et j'avais fait remarquer que son égotisme ascétique avait pour rançon la solitude [2]. Pour échapper à celle-ci, des philosophes particuliers, auxquels Valéry s'est parfois intéressé sans se laisser convaincre, ont eu recours au mysticisme [3]. Mais il y a un autre moyen de sortir de la solitude intellectuelle, et il fera l'objet du présent essai.

*

Ce moyen, c'est la science, qui peut se définir comme une connaissance valable universellement pour l'humanité. Or, une sorte

57

de rage a poussé Valéry à rompre tous les liens qui pourraient le rattacher à la pensée commune. Le Robinson métaphysique n'a jamais voulu quitter son île. Il a jalousement préservé son splendide isolement. On trouverait chez Valéry une critique de sa personnalité qui la sépare des autres personnalités, une psychologie qui réduit de plus en plus les attaches du *moi* aux autres *moi* et qui, dans le moi lui-même, restreint la part de l'esprit pur presque jusqu'à l'évanouissement de celui-ci. Même dans la science, dont le caractère de valeur universelle était peu niable, l'aspect que Valéry a tendu de plus en plus à souligner est celui qui l'éloigne le plus de la condition humaine. Valéry a trouvé dans la science, non un remède à la solitude, mais un exil qui ne cesse de s'aggraver.

Il a rejeté d'abord, comme on pouvait s'y attendre, la connaissance vulgaire et les modes ordinaires du comportement intellectuel. « *Le plus grand nombre de nos réactions, — la plupart de nos jugements, et toutes nos " opinions ", sans exception, — impliquent de tels postulats, — et si arbitraires et si absurdes, — qu'il suffit de développer ce que nous pensons sur quelques sujets que ce soit pour rendre cette pensée ridicule, ou odieuse, ou naïve.* » (*TQ*; II, 781). De cette constatation il a déduit une méthode de polémique, qui consiste à réfuter l'adversaire en abondant dans son sens. Il est si sûr de l'absurdité foncière de la pensée qu'il lui suffit de la prolonger pour en faire éclater la contradiction.

Si, dans une controverse, l'un des adversaires se bornait à reprendre ce que vient d'alléguer l'autre contre lui, sans rien contester, sans rétorquer, sans qualifier, — en un mot, sans répondre ; mais en précisant de plus en plus les arguments dont on veut l'accabler, — je m'assure que cette redite approfondie qu'il en ferait, ce « grossissement » et cette rigueur suffiraient dans le plus grand nombre des cas à énerver et à exténuer la thèse et les raisons ennemies. (II, 781)

Il croit d'ailleurs que la contradiction est de la nature même de la pensée. On invoquera peut-être l'accord de celle-ci avec la réalité ; pour Valéry : *« Le réel ne peut s'exprimer que par l'absurde. »* (« Analecta », *TQ*; II, 736). Et il ajoute : « *N'est-ce pas toute la mystique et la moitié de la métaphysique que je viens d'écrire ?* » Il ne croit qu'aux mathématiques et à leur application aux sciences naturelles. Sa foi rappelle celle de Don Juan (« deux et deux sont quatre ») à qui Sganarelle n'était pas mal fondé à dire : « À ce que je vois, votre religion est donc l'arithmétique ? » Valéry a magnifié cette antique invention. En dehors de son usage, il n'y a que des mythes :

> En vérité, qui veut concevoir le moindre phénomène chimique ou physique, s'il s'efforce de ne pas y introduire ces opérations finies, nettes, comme de séparer une masse, de discerner le volume, de la structure ; celle-ci, du poids, etc., de distinguer le temps, du changement ; la vitesse, de l'accélération ; le corps, de sa position ; les forces, de la nature et de la situation, etc. s'il peut encore concevoir quelque chose, — c'est un *rêve* qu'il aborde et explore. (II, 736)

En dépit d'une légende qui l'a longtemps prétendu plongé dans des spéculations mathématiques parce que dans sa chambre de jeune homme il avait un tableau noir couvert d'équations, Valéry n'avait pas une culture scientifique très poussée : il a avoué avoir été découragé par ses professeurs de l'étude des mathématiques et avoir renoncé à son rêve de lycéen d'entrer à l'École Navale. Ensuite, il s'est tenu au courant des travaux des savants de son temps. Sa pensée personnelle en a été influencée sensiblement. L'accroissement grandiose des découvertes et des théories ne l'a pas porté à l'optimisme. Il s'en est effrayé. Il a éprouvé une sorte de vertige devant les complications de la physique moderne. Il y a décelé une disproportion entre la capacité de l'esprit humain et le nouveau visage donné à la réalité. Un rapport rassurant entre nos facultés ou nos habitudes de pensée et l'univers tel qu'on se le représentait au XVIIIe siècle aurait mieux fait son affaire. Comme il l'a dit au sujet d'*Eurêka*, la cosmogonie de Poe : « [...] *l'homme qui essaye de se représenter l'intimité des choses ne peut que lui adapter les catégories ordinaires de son esprit. Mais plus il s'avance dans ses recherches, et même, plus il augmente ses pouvoirs enregistreurs, plus il s'éloigne de ce qu'on pourrait nommer l'*optimum *de la connaissance.* » (V ; I, 860). La note d'« Analecta » que nous citions tout à l'heure rend le même son :

[...] une certaine division trop fine ou attention trop poussée, les *choses* perdent leur *sens*. On dépasse un certain « optimum » de la compréhension, ou de la relation possible entre l'homme et ses propriétés ; l'homme tel que nous nous sentons et nous connaissons l'être, ne pourrait plus exister, être conçu dans ce petit domaine étrange où pourtant sa vision pénètre. On voit, mais on a perdu ses notions à la porte. Ce qu'on voit est indubitable et inconcevable. La partie et le tout ne communiquent plus.

(II, 736)

Valéry a étendu cette remarque à des cas très variés, dans une énumération assez discordante : logique, microscope, rêve, méditation, « *états horriblement détaillés de douleur, d'anxiété* » (II, 737). Alors, l' « *optimum ne comporte pas ces " agrandissements " des durées ni des angles de vue* ».

Dans une allégorie qui fait songer à *La Nouvelle Idole* de François de Curel, il montre les dommages causés par celle qu'il appelle « *L'inhumaine* » (« Rhumbs », *TQ* ; II, 620), cette science moderne sans mesure avec l'homme ; elle « *a ruiné la* bonne conscience *du* sens commun *et du* bon sens ». Il faut renoncer à des croyances séculaires : « *L'évidence n'est que la vision d'une image naïve* », comme de croire qu'il n'y a point d'antipodes. « *L'*objection du bon sens *est le recul d'un homme devant l'*inhumain [...]. [...] la recherche et même les pouvoirs s'éloignent de l'homme. L'humanité s'en tirera comme elle pourra. L'inhumanité a peut-être un bel avenir...* » (621). L'esprit de précision éloigne de plus en plus l'homme de ses idées et de son vocabulaire habituels. Valéry prophétise : « *Voici venir le crépuscule du Vague et s'apprêter le règne de l'Inhumain qui naîtra de la netteté, de la rigueur et de la pureté dans les choses humaines.* » Un autre aspect de cette inhumanité est révélé dans l'analogie inquiétante que Valéry établit entre l'algèbre et la nature ; toutes les deux ont en commun un singulier pouvoir de prolifération qui donne « *l'impression du travail végétal, d'une répétition qui s'étale* » (« Analecta », XXXVI, *TQ* ; II, 717), ce par quoi l'algèbre « *est inhumaine comme la vie* » (718). *Le langage algébrique diffère profondément du langage ordinaire, qui* « *s'arrête aux premières démarches* ». On sent là le regret de ne pouvoir faire des mots une seconde algèbre qui accroîtrait la puissance de l'intelligence : c'est un vieux rêve leibnizien qui a été repris par les logisticiens. Valéry en a donné une traduction artistique dans une confidence à Albert Coste : « *Mon idéal serait de construire la gamme et le système d'accords dont la pensée serait la Musique.* » [4].

Les effets ruineux de la science trouvent peut-être leur sommet dans le fait qu'elle se dévore elle-même. Non seulement les vieilles entités, le Bien, le Beau *« sont passé[e]s de mode » (« Léonard et les philosophes » ; I, 1239), mais les disciplines qui s'en occupent, « *éthique et esthétique se décomposent elles-mêmes en problèmes de législation, de statistique, d'histoire ou de physiologie... et en illusions perdues* » (1240). Le *Vrai* lui-même est atteint : « [...] la photographie en a montré la nature et les limites : l'enregistrement des phénomènes par un pur effet d'eux-mêmes, exigeant le *moins d'Homme* possible, tel est ''notre Vrai''. Voilà ce que je constate. » (1239). Les notions de base se décomposent :

> [...] le dévelopement même des sciences tend à diminuer la notion du Savoir. Je veux dire que cette partie de la science qui paraissait inébranlable et qui lui était commune avec la philosophie, (c'est-à-dire avec la foi dans l'intelligible et la croyance à la valeur propre des acquisitions de l'esprit), le cède peu à peu à un mode nouveau de concevoir ou d'évaluer le rôle de la connaissance. L'effort de l'intellect ne peut plus être regardé comme convergent vers une limite spirituelle, vers le *Vrai*. (I, 1239-40)

La métaphysique à notre époque a été *« surprise par les variations de la science de la manière la plus brusque, et parfois la plus comique » (1255), « *surprise à chaque instant par la furieuse activité des sciences physiques* », menacées « *par les travaux [...] des philologues et des linguistes* ». Aussi Valéry recommande-t-il à la philosophie de se rendre *« indépendante de toutes connaissances qu'une expérience nouvelle peut ruiner ».

Au-delà de ce destin destructeur, Valéry, dans ses dernières années, a considéré l'insécurité où les progrès scientifiques et leur application à la civilisation jetaient fatalement les perspectives de l'homme sur l'avenir. Dans un essai important paru en 1941, « Vues personnelles sur la science », il avait avancé cette opinion que l'événement le plus important entre 1789 et 1815 avait été « *L'invention de la pile et la découverte du courant électrique* » [5].

À partir de cette révélation, suivie de bien d'autres, « *l'ère des FAITS NOUVEAUX commence* ». Du même coup, les interprétations antérieures sont dépréciées par les nouvelles. Et cela ouvre sur l'avenir la perspective de changements incessants, de plus en plus difficiles à bien saisir, car « *ces raisonnements si profonds et si complexes exigent pour être compris et assimilés un travail d'un ordre de grandeur comparable à celui qu'ont dû accomplir leurs auteurs* » — « *Les théories se succèdent, se dissolvent, s'assimilent de plus en plus à des instruments, ou à des machines dont la durée est celle du besoin instantané ou d'une sorte de mode ou de vague.* » « *Toute la partie verbale, théorique, explicative de notre savoir devient essentiellement provisoire.* » En 1944, dans deux brefs articles, intitulés « Points de vue » et « L'Imprévisible », il montrait que « *notre avenir est doué d'*imprévisibilité essentielle, *et c'est la seule prévision que nous puissions faire* »[6]. Cette carence est l'effet de la conquête du monde vivant tout entier par le pouvoir scientifique, l'invasion du savoir effectif qui tend à transformer le milieu de l'homme et l'homme lui-même. « *L'imagination ne peut plus devancer ou pénétrer les phénomènes,* croire, voir » car « *voir n'a plus de sens dans un ordre de grandeur où il ne peut être question de lumière, et où le mot '' phénomènes '' n'a plus d'emploi* ». L'essence de l'homme, dans ce nouvel état de choses, si différent de l'ancien, « *est... Aventure* »[7].

Il reste pourtant une partie solide dans la science. C'est celle qui est liée à un pouvoir. Pouvoir d'action et pouvoir de prévision. Pour Valéry, savoir, c'est pouvoir ou prévoir. En dehors de ces marques incontestables de prise sur le réel, il n'y a que théorie, bavardage, ou, comme il dit, « littérature ». Il a multiplié les déclarations en ce sens :

« Savoir », ce n'est jamais qu'un degré. — Un degré pour être.

Il n'est de véritable savoir que celui qui peut se changer en être et en substance d'être, — c. à d. en acte.

Les connaissances les plus vaines sont celles qui se réduisent en pures paroles et qui ne peuvent sortir de ce cycle verbal.

(« Analecta », LXXX ; II, 738)

Il faut n'appeler *Science* : que *l'ensemble des recettes qui réussissent toujours*. Tout le reste est littérature. — (« Moralités » ; II, 522)

Je dis : *que la Science est l'ensemble des recettes et procédés qui réussissent toujours*, et qu'elle va se rapprochant progressivement d'une *table de correspondances entre nos actes et des phénomènes*, table de plus en plus nette et riche de telles correspondances, notées dans les systèmes de notations les plus précis et les plus économiques.

L'infaillibilité dans la prévision est, en effet, le seul caractère auquel le moderne reconnaisse une valeur non conventionnelle. Il est tenté de dire : *tout le reste est Littérature,* et il place dans ce reste toutes les explications et toutes les *théories*.   (I, 1253)

Celles-ci ne sont plus considérées que « *comme des moyens et des instruments* » (« Léonard et les philosophes » ; I, 1253), des « *tâtonnements* » préparant « *la perception finale décisive* ». Dans « L'Idée fixe », Valéry a montré « *la faillite de l'imagerie* » (II, 269) dans le monde abstrait des physiciens où « *il ne peut être question de voir, ni de toucher, où il n'y a ni figures ni catégories, où même les notions de position et de mouvement sont comme incompatibles* ». « *Tout est menacé. Toute idée, désormais, vit dangereusement.* » Faire « le bilan-or de la Science » revient à considérer « *l'accroissement de* pouvoir. *Le reste, théories, hypothèses, analogies, mathématiques ou non, — est à la fois indispensable et provisoire. Ce qui demeure et se capitalise, ce n'est que le pouvoir d'action sur les choses, les faits nouveaux, — les* recettes... » (269-70). Le docteur de « L'Idée fixe » proteste : « *Vous ravalez la Science à la cuisine...* » (270). Valéry lui répond que ce qui reste de l'œuvre de Volta, c'est son procédé pour décomposer l'eau, et que la cuisinière, pour sa part, sait « *faire sous le nom de* mayonnaise, *des acrobaties colloïdales... Au fond, toutes nos explications se réduisent à trouver ce qu'il faudrait faire pour reproduire un effet donné.* » [8]. Dans « Fragment des mémoires d'un poème », Valéry a ajouté le roman et l'histoire aux sciences positives pour dénoncer leur part d'*arbitraire*, défini comme ce à quoi l'esprit peut faire subir des altérations, « *sans dommage pour la partie inébranlable de ces disciplines, qui n'est que recettes et résultats vérifiables* » (*V* ; I, 1469).

Nous touchons à une attitude capitale chez Valéry :

Je ne sais d'où me vient ce sentiment très actif de l'arbitraire [...]. Je tente involontairement de modifier ou de faire varier par la pensée tout ce qui me suggère une substitution possible dans ce qui s'offre à moi, et mon esprit se plaît à ces actes virtuels, — à peu près comme l'on tourne et retourne un objet avec lequel notre tact s'apprivoise. C'est là une manie ou une méthode, ou les deux à la fois : il n'y a pas contradiction.

(I, 1467-8)

Il ne s'attache pas beaucoup aux paysages, car il lui suffirait de se mouvoir pour les « altérer », mais plutôt à la « substance » des objets, et à leur « figure ». Il est ainsi tenté de modifier tout ce qu'il lit. Il a tiré malicieusement une « contre-épreuve », un « négatif » d'une phrase fameuse de Pascal : *« Le vacarme intermittent des petits coins où nous vivons nous rassure. » (« Autres Rhumbs » ; II, 696). Il a montré aux membres de la Société française de philosophie comment changer l'allure d'un vers de La Fontaine par « une modification très simple ». En changeant deux mots dans

> Prends ce pic et me romps ce caillou qui me nuit

on peut le faire entrer dans un poème épique :

> Prends ta foudre et me romps l'univers qui me nuit

et l'on a ainsi des perspectives sur l'indépendance qui existe entre l'intensité des effets produits et l'énergie réelle dégagée par l'artiste [9]. Les variantes des poèmes de Valéry pourraient parfois témoigner de ce sens puissant de l'arbitraire. Cette mobilité, cette plasticité, Valéry l'exerce constamment à l'égard de sa propre pensée. Le mot *substitution* revient volontiers sous sa plume. Il a fréquemment parlé, à propos d'une idée, des écarts, des analogies, des symétries, des contrastes, des compléments qu'elle peut susciter, bref de tous les modes de remplacement qu'elle suggère.

Et ce qui me vient à la pensée m'apparaît assez vite comme un « specimen », un cas particulier, un élément d'une variété d'autres combinaisons également concevables. Mes opinions appellent bientôt leurs contraires ou leurs complémentaires ; et je me trouverais misérable de ne pas voir dans l'événement réel, ou dans l'impulsion particulière que j'éprouve, un simple élément de quelque ensemble — une *facette* d'un système d'entre ceux dont je suis capable.

(I, 1469)

On a parlé d'intellectualisme, et encore plus de pragmatisme, à propos de Valéry, et il y a de cela chez celui qui n'a pas trouvé de meilleure idole que l'intellect et qui a jugé parfaitement inutile de savoir ce qu'il ne pouvait modifier. Cet appétit de transformation est d'un artiste qui devine les possibilités et les libertés d'aménagement d'un donné tombé sous son regard. L'indifférence souveraine qu'il manifeste dans ces jeux à l'égard des éléments comme à leurs combinaisons éventuelles me paraît d'un sceptique, mais d'un sceptique actif[10]. Même à l'égard de l'intelligence, on pourrait noter chez lui une espèce de méfiance, car il a rêvé de lui substituer des procédés automatiques, des méthodes qu'il n'y aurait qu'à mettre en marche, ce que Monsieur Teste appelait un « crible machinal ». L'intelligence semble parfois n'être qu'un moyen, un outil au service du pouvoir d'agir, et on rejoint par là cette variété du pragmatisme appelée l'instrumentalisme.

On a parlé aussi d'agnosticisme, mais nous avons vu que si Valéry réduisait à l'extrême la connaissance, il lui laissait un noyau solide, constitué par ce que peuvent atteindre les mathématiques, leurs applications, et peut-être même, un jour, le langage si celui-ci parvenait à acquérir une précision du même ordre. Le langage a toujours servi à Valéry de pierre de touche. C'est évident dans ses réflexions sur la création poétique. Quant à la philosophie, elle n'existe pas ; il n'y a que « *des variations intérieures sur le sens des mots* » (« Automne », *M* ; I, 295). Lorsqu'il étudie une question, Valéry commence par ce qu'il appelle « *le nettoyage de la situation verbale* » (« Poésie et pensée abstraite » ; I, 1316). Pour lui aussi, la science serait une langue bienfaisante. La science, et les mathématiques d'abord, mais également tous les arts, y compris la littérature et, par excellence, la poésie, dépendent, à des degrés variables, de la parole[11]. Dans cette importance donnée au langage, l'artiste est chez Valéry encore plus reconnaissable que le penseur. Dans les libertés qu'il prend en maniant les formes verbales, dans les contraintes qu'il s'impose, dans les conventions qu'il respecte, le sceptique est associé au poète. Chez l'artiste, ce qui domine, comme dans sa conception de la science, comme dans l'homme en général, ou dans la figure d'homme qu'il a rêvée, c'est le désir du pouvoir, moins pour ses applications que pour la jouissance de son exercice, dans le sentiment orgueilleux de l'infaillibilité. Valéry a déclaré qu'il ne faisait pas de différence entre l'artiste et le savant lorsqu'il s'agissait de l'essentiel dans leur activité : *« la création de la science est œuvre d'art »[12]. C'est pourquoi un créateur comme Léonard de Vinci, artiste et savant, lui avait paru un exemplaire complet de véritable humanité.

Si Valéry a diminué l'objectivité de la science, car « *la connaissance se déplace du plus* subjectif *au moins* subjectif » (« L'Idée fixe » ; II, 263), en revanche il a cherché à augmenter l'objectivité de l'art, au moyen de la méthode. En définitive, artistes et savants lui ont paru faire surtout œuvre personnelle. À la limite, il n'y a plus pour lui que des artistes. « *Ma conviction dès la jeunesse fut que, dans la recherche intellectuelle, il n'y a pas de différence autre que nominale, entre les manœuvres intérieures d'un artiste, ou d'un poète, et celles d'un savant.* »[13]. Chez tous, le hasard joue le même rôle, et il en va de même dans l'histoire des sciences comme dans celle des arts et de la littérature. L'originalité, bien que Valéry n'aime pas ce mot, caractérise toute création : « *La science en somme est une construction qui tend à l'impersonnalité, mais chacun des actes de ses constructeurs est l'acte d'une personnalité. Il y a un style des mathématiciens, une physionomie de la formule qui est aussi reconnaissable que le style des écrivains (quand ils en ont un). On peut dire que Poincaré* n'écrit *pas comme Hermite.* »[14]. Si le rêve d'un art qui serait tout science se révèle impossible à réaliser, une pareille impuissance frappe la science, car il lui manque de savoir se créer elle-même : il n'y a pas de science de la recherche. C'est le génie (autre mot que Valéry n'aime pas) qui trouve, et non la méthode. « *Il n'y a pas de science de la production de la science. Il y a bien une critique des valeurs et des moyens de la science, mais l'art de trouver (quoiqu'on l'ait baptisé* euristique*), demeure aussi personnel que tous les autres arts.* »[14].

Que retenir de tout cela ? On peut admettre également qu'il y a, et qu'il n'y a pas, de philosophie de Valéry, qu'il y a, et qu'il n'y a pas, de système chez lui[15]. Mais il y a chez lui une pensée abstraite, ce qui, comme il l'a montré, n'est pas du tout étrange de la part d'un poète, le poète étant particulièrement doué, à son avis, pour la spéculation. Dans la mesure où cette pensée n'est pas vérifiable, dans la mesure où son auteur n'a pas pu la soumettre à la rigueur mathématique, le critique qui voudra l'étudier devra la considérer d'un point de vue non scientifique ; s'il ne réussit pas à y découvrir le jeu des forces qui en ferait à la fois un système et une œuvre d'art, il devra se contenter d'y déceler une sensibilité secrète et se rabattre sur son lyrisme caché. N'est-ce pas un cheminement fatal avec un penseur pour qui la pensée autre que strictement scientifique et utilisable se réduit finalement en poésie ?

NOTES

1. « Les Refus de Valéry », pp. 56-81 in *Questions de littérature. Études valéryennes et autres* (New York and London, Columbia University Press, 1967). J'aurais pu donner de cette attitude des preuves explicites, comme ce passage de « Moralités » (II, 518) : « *On ne peut enfermer un homme dans ses actes, ni dans ses œuvres ; ni même, dans ses pensées* [...]. [§] [...] *Car nous-mêmes, consistons précisément dans le refus ou le regret de ce qui est ; dans une certaine distance qui nous sépare et nous distingue de l'instant.* »

2. Il y aurait une belle étude à faire sur la solitude de Valéry. Prise dans son sens vulgaire, on sait qu'il ne pouvait la supporter et recherchait volontiers la société. « *La solitude m'est trop bruyante* », écrivait-il en 1896 à son frère Jules (cité par Agathe ROUART-VALÉRY, I, 23). Prise dans son sens métaphysique, la solitude était consubstantielle à Valéry, se confondant avec l'orgueil de son unicité et s'alliant au désespoir de son incomplétude : « *À ce nombre d'étoiles qui est prodigieux pour nos yeux, le fond de l'être oppose un sentiment éperdu d'être soi, d'être unique,* — *et cependant d'être seul. Je suis tout, et incomplet. Je suis tout et partie.* » (« Variations sur une pensée » ; I, 469). Cette solitude n'en est pas moins précieuse et inaliénable ; elle se conserve dans la compagnie des autres, qu'elle nie de toute sa supériorité : « *Il y a une solitude... portative ; une telle conviction habituelle de la particularité de soi,* — *un tel point atteint " en soi-même " que l'homme qui en est venu là, une fois* — *peut impunément se mêler au monde, se distinguer instantanément, au milieu des autres, de* celui qu'il leur offre *et qui a commerce avec eux. Il n'a pas besoin du désert ; il porte avec soi, toujours prête,* l'inexistence *des propos d'autrui, des valeurs données par autrui et de ceux qu'autrui reçoit de lui-même en échange.* » (« Mélange » ; I, 396). N'est-ce pas Valéry qui se peint dans son portrait de Degas ? « *Degas s'est toujours senti seul, et l'a été dans tous les modes de solitudes.* Seul *par le caractère ;* seul *par la distinction et par la particularité de,sa nature ;* seul *par la probité ;* seul *par l'orgueil de sa rigueur, par l'inflexibilité de ses principes et de ses jugements ;* seul *par son art, c'est-à-dire, par ce qu'il exigeait de soi.* » (« Degas Danse Dessin » ; II, 1238).

3. *Question de littérature*, pp. 61-4.

4. Lettre de 1915 (II, 1479).

5. « Vues personnelles sur la science », *Patrie* [Alger], n° 6, 1941, repris pp. 45-58 in *Vues* (Paris, La Table Ronde, 1948).

6. « L'Imprévisible », *Revue économique contemporaine,* mars 1944, et *Vues, op. cit.,* pp. 40-4.

7. « Points de vue », *Revue du Languedoc*, 15 janv. 1944, et *Vues, op. cit.,* pp. 59-62.

8. Voir encore dans « Vues personnelles sur la science » (p. 56 in *Vues*), la distinction dans le savoir scientifique entre « *une* valeur fiduciaire *qui périclite, et une* valeur *OR* ». La science est *« l'ensemble des recettes qui réussissent toujours ».

9. *Bulletin de la Société française de philosophie*, séance du 2 mars 1935, p. 65.

10. « [...] j'ai eu foi dans le scepticisme, *ma devise étant* Faire sans croire [...]. » (II, 1488).

11. Voir « Eupalinos » et l'« Introduction à la méthode de Léonard de Vinci ».

12. « Vues personnelles sur la science », p. 56 in *Vues, op. cit.*

13. Lettre à André George du 14 juin 1943 (*LQ*, 240-1).

14. Frédéric LEFÈVRE, *Entretiens avec Paul Valéry* (Paris, Le Livre, 1926), pp. 135-7.

15. Voir p. 61 de l'article cité plus haut, à la note 1. On sait que Valéry a dédié « Regards sur le monde actuel » « *de préférence aux personnes qui n'ont pas de système* ». Dans « Mauvaises pensées et autres » (II, 787) il affirme : « *Un système est un arrêt. C'est un renoncement.* » Et il va jusqu'à dire : « *Que tous les systèmes finissent par des mensonges, cela n'est pas douteux.* [...] [§] *Quant à leurs commencements, on peut disputer sur la bonne foi.* »

UNE ARCHITECTURE
DU THÉÂTRE INTÉRIEUR :
LES « TROIS LOIS »

par Huguette LAURENTI

> « *Mon idée principale (qui se précisa beau-*
> *coup vers 1900) fut de traiter la conscience-*
> *connaissance comme un* Système *(au sens de la*
> *physico-chimie) doué de conservations et de*
> *transformations.*
> *Ce Système* — formellement *fermé* — signifi-
> cativement non borné — *(Ces termes de* formel
> *et de* significatif *correspondaient, dans mon*
> *intention, à 2 ordres de "propriétés" — que je*
> *trouvais en observant les modes de changement*
> *du système* — p[ar] ex[emple] *le "contenu"*
> *d'un état pouvait varier avec plus ou moins de*
> *"liaison"* — *(*attention p[ar] ex[emple]*). J'y*
> *joignais une autre notion :* l'*accidentel* — *(que la*
> *physique omet, puisqu'elle ne prend le phéno-*
> *mène qu'à son aise, et isolé, et dans un labora-*
> *toire, avec matériel, instruments etc. Mais*
> *l'étude qu'elle fait suppose tout ceci* — *c'est-à-*
> *dire des systèmes déjà choisis et élaborés en pro-*
> *blèmes.)*
> *(Le physicien lui-même est une condition de la*
> *physique, de laquelle il n'est pas question.)* »
>
> (*C*, XX, 105 ; *CI*, 843-4 [1937])

A U point de départ du « Système », la notion de « fonctionnement ». Le but est de comprendre, sinon de connaître, le

69

« fonctionnement de l'esprit ». Or Valéry se rend compte tout de suite qu'il faut « représenter » ce fonctionnement pour le saisir.

En 1944, un retour en arrière sur ses intentions premières, l'amène à les résumer ainsi : « *Je ne puis, je n'ai jamais pu, séparer une "connaissance de la connaissance" d'une représentation du fonctionnement total.* » (*C*,XXXIX, 147 ; *CI*, 864). De même, comme le rappelait Mme Robinson, il cherche, contre les « *diables* » (XXVI, 65-6) que sont les « *connexions irrationnelles* », une « *délimitation et représentation de [la] sensation* », avant d'en établir la relation avec cette « *tempête de sensibilités* ». En fait, c'est là tout le principe des « 3 lois ».

Il est donc tout à fait normal que le terme de *fonctionnel* revienne si souvent, dès les premiers Cahiers. Dans une note intitulée « Méthodes », Valéry ébauche une sorte de chronologie de son « Système ». Après les premiers tâtonnements qui établissent la relation du psychique et du physiologique, l'essai des « nombres plus subtils », la guerre contre les Idoles et l'affirmation du Moi comme *« négation générale »* (*C*, XVIII, 186 ; *CI*, 839), la découverte du *« fini et limité »* et de la *« Self-variance »* — toutes choses qu'il place en 1892 — après l'idée des « *fonctions* », l'étude de l' « *Attention* » et des *« modulations »*, celle du « *Pouvoir* », des *« opérations »*, de la « *conscience sous le sommeil* » — qu'il date de 1902 —, il situe dans une zone chronologique beaucoup plus évasive « *Les 3 "lois". F[onctionnel]*, *S[ignificatif]*, *A[ccidentel]* » dans les années 190., en même temps que « *Le type réflexe* » et la théorie de « *L'Acte* », « *Les* mécanismes », le système « *DR* » et « *l'énergie libre* », l'étude du problème du Temps et du « *Présent-forme* » (*C*, XVII, 186 ; *CI*, 839) [1].

En fait, cela vient de plus loin. Si la notion d'accidentel semble s'imposer plus tard à l'analyse, celles de « formel » et de « significatif » sont impliquées dans les toutes premières recherches. En témoigne, dès 1898, cet énoncé des ambitions bien répertoriées :

Trouver.
Aller à la limite.
Pouvoir écrire sa pensée. La soustraire à la particularité d'un de ses points. Voir les ensembles.

Remplacer chaque fait mental par sa loi plus quelque chose.
Pouvoir opérer, transformer.
Trouver — le lien sans cesse du formel et du signifié.
Remplacer chaque chose par sa formule ou expression d'une suite
d'opérations intellectuelles.
(C, I, 467-8 ; CI, 778)

La dernière phrase exprime toute l'importance que Valéry attribue
à ce « formel » qu'il veut déjà, pour sa recherche, isoler du
« signifié », mais qu'il sait ne pouvoir définir que par rapport à ce
dernier, le mystère du mécanisme mental étant précisément dans
leurs connexions.

L'hésitation entre les termes de *formel* et de *fonctionnel* (Valéry
les juxtapose assez souvent, dans ses rappels des « 3 lois » : « le
formel ou fonctionnel ») exprime le souci de trouver le terme adé-
quat plutôt que de nuancer une pensée qui n'a pas varié sur ce
point. Disons que le « point de vue » — pour employer encore
une expression valéryenne — est peut-être légèrement différent,
« formel » étant plus large et pouvant servir à tous les domaines,
particulièrement ceux de la composition esthétique et du
langage [2]. « Fonctionnel » apparaît comme plus technique, plus
juste sans doute à cause de cela, et c'est pourquoi probablement
Valéry y revient toujours volontiers. Il note même en 1936 : « *Au
lieu de "formel" mettre généralement "fonctionnel" (dans mes
notes).* » (*C*, II, 282 ; *CI*, 884) ; et, visant à une « représentation *dynamique* » de l'esprit — il étudie alors la notion de « cycle » —, il
définit ainsi son ambition : « *Il faut construire des schémas non
comme ceux des médecins mais comme ceux des physiciens — non
pour figurer des trajets entre des régions anatomiques ou maté-
rielles mais entre tout ce qui est distinct et nécessaire, que cela soit
représenté ou non dans les corps.* » (*C*, II, 470 ; *CI*, 887).

Formel et *significatif*, apparaissent alors comme des données
inséparables quant au fonctionnement de l'esprit, et ne peuvent se
définir que dans la structure d'ensemble dont ils sont les éléments
de base.

En 1906, Valéry assimile leur relation à celle de « contenant » et
de « contenu », ce qui lui permet de cerner les deux notions et le
mécanisme qu'elles impliquent. Il écrit :

La 1re chose est de distinguer entre les contenants et contenus — ou entre formel et significatif — entre ce qui peut recevoir une interprétation au moyen de constantes extérieures et les impressions qui ne sont attribuables à rien d'extérieur, qui *ne ressemblent à rien* et s'attribuent à un être X non figuré — comme différence, ressemblance, grandeur, temps, espace, etc. [...].

Mais le caractère commun de se substituer, demeure —

Et tous ensemble ce sont des effets — des phénomènes — (C, IV, 65)

L'idée est encore précisée à la page suivante, dans un texte plus long dont je cite les formules caractéristiques :

Contenant et contenu
formel — et significatif
Ces mots désignent la dualité des conditions de la pensée — mais seulement dans l'actuel ou présent actif — car dans le non actuel ou présent apparent le formel n'est perçu que comme significatif et devient significatif — [...]

Le formel se rapporte au présent Le significatif étant le dépassement apparent de cette condition — Par lui l'homme se croit plus qu'un instant, plus qu'un point — plus qu'une évolution, mais contenir — et en même temps agir dans — vouloir, retarder, conserver, prévenir, prévoir, se presser, abréger, attendre, refaire —

Le significatif ne distingue pas la vue de l'objet de l'image — ni les retours de l'image et de l'objet entre eux. (C, IV, 66)

On voit apparaître ici la liaison de ces deux notions de formel et de significatif avec celle de temps, si complexe, qu'elles permettront ailleurs de débrouiller. On voit aussi, impliqués dans cette définition de la « dualité des conditions de la pensée », surgir les éléments extérieurs (événements, sensations, issus du « corps » ou du « monde »), qui font entrer dans le jeu les « conditions diverses et indépendantes » dont dépend à chaque instant la pensée dans son système formel : c'est la fonction de « l'accidentel », troisième élément de la théorie des « 3 lois ».

Les mêmes oppositions sont exprimées dans un texte de 1929 :

Significatif est valeur, transport — Exemple : Sommation des mots signes
est transitivité, *changement d'ordre* ou passage de perception à connaissance.

Le formel est au contraire l'ensemble des conditions ou circonstances qui font produire acte ou idée par le jeu de lois ou de probabilités cachées — Ce qui n'est pas suffisamment déterminé par la *conscience*, se détermine par l'*instant*... — par des minima. (C, XIII, 564)

Le gros problème est donc celui des relations des trois systèmes entre eux. Problème central, car il touche à tous les modes du fonctionnement de l'esprit, nous le verrons bientôt. Sous le titre « Principes », Valéry note en 1927 :

[...] Je cherche des principes qui domineraient le fonctionnement mental d'ensemble comme les principes dynamiques font l'évolution des syst[èmes] matériels.
Ces principes sont généralement non significatifs... Mais le plus important serait celui de la liaison entre le signif[icatif] et le formel.

(C, XII, 670 ; C1, 825)

Des séries d'observations cernent ces rapports. Ainsi, un mal exaspérant qui s'envole soudain, une gêne qui cesse avec le sommeil, une colère qui tombe avec son objet, font apparaître l'organisation du cycle, toujours la même, de chacune de ces « comédies », et le rôle relatif de l'accidentel, du formel et du significatif :

Tout le temps de la vie se passe ainsi. L'accidentel commence chaque comédie. On interprète cette donnée au moyen de significations — et ce significatif suit la trame formelle. (C, V, 183 ; C1, 932)

Et Valéry précise :

Ce que j'appelle formel — cela peut se comparer à l'œil et aux lois optiques et physiologiques de la vision — le significatif étant la vue, ce que l'on voit.
Entre significatif et formel il y a dépendance et indépendance à la fois, comme l'œil voyant n'importe quel spectacle visible — et pourtant ce spectacle dépend de l'œil.
Tout le significatif forme un groupe d'invariance au formel.

(C, V, 183 ; C1, 932)

De cette constatation en découle une autre sur laquelle Valéry revient en 1944 : « *Le* significatif *est borné par le* fonctionnel. » (C, XXIV, 455 ; C1, 1086) [3]. Cette formule s'explique par le « *rôle* transi-

tif *de tout ce qui est mental* » (*C*, XXIV, 456 ; *CI*, 1087) et par le fait que
« *n[ous] ne percevons ni ne pensons pas* tout à la fois » (*C*, XXIV,
456 ; *CI*, 1087) ; cette observation, dit Valéry, « *suffit à imposer des
conditions étrangères à la valeur et à la reconnaissabilité, comme
aux développements* propres *(c'est-à-dire dépendant de l'objet
même)* » des « *objets de conscience* ». Mais, inversement, il note
dans la même page que

[...] l'invention de signes et leur usage interne — est *Contre* quelque chose
qui est la *nature fonctionnelle de l'esprit* s'opposant à la quantité ou à la
complexité des choses dont il est sollicité d'effectuer la transformation —
par sa nature instantanée de medium d'action. L'action externe exigeant
adaptation ou accommodation *préalable*, c'est-à-dire d'après une anticipation ou idée des choses auxquelles la machine à agir aura affaire.

(C, XXIV, 455 ; CI, 1096)

L'accidentel est alors réintroduit sans être nommé (ce qui nous
renvoie à la « comédie » précédemment analysée) dans une opposition entre « *le rôle* transitif *de tout ce qui est mental* » (*C*, XXIV,
456 ; *CI*, 1087) (référence au formel) et « *le fait que tout ce qui est
conservatif dans ce mental — (conservatif manifesté comme
tel —) est référence à du non-mental* — Monde, Corps *et même*
Mémoire, *et oppose au mental quelque autre domaine ou
régime* ». Que les « 3 lois » soient au cœur même du problème, et
puissent apparaître comme une base de toute la théorie de la dynamique de l'esprit, cela ressort pleinement de la conclusion de cette
note circonstanciée — conclusion qui ouvre tous les problèmes
que Valéry reprend inlassablement : toutes ces observations,
pense-t-il, « *montre[nt] le mental comme portion d'une évolution
fonctionnelle — plus ou moins conditionnée — tantôt par des
conditions du type énergique — tantôt par des conditions du type
mécanique — et toujours par des conditions chronocycliques
caractéristiques de toutes les fonctions* ».

En même temps, apparaît nettement la priorité que Valéry tend
à donner au formel, au jeu des éléments « purs », non déterminés
par la conscience et considérés dans leur transitivité [4] : par là seulement il voit une possibilité d'approcher au plus près les structures de l'esprit. Mais le jeu constant des interactions remet sans

cesse en cause un équilibre fuyant, nécessairement discontinu du fait qu'il ne se conçoit qu'en relations d'excitation, en décharges de sensibilité et, partant, en suites de transformations.

C'est pourquoi la recherche valéryenne oscille constamment de l' « *Expérienc[e]* » à l' « *Exercic[e]* », les « *deux chapitres* », dit-il, de « *ma philosophie* » (*C*, V, 707 ; *CI*, 333).

Le premier traite des impressions, des tâtonnements et de la netteté. Il progresse vers la construction des actes ; l'organisation et la désorganisation ; les énergies et les gênes ; le passage dans les états successifs — ; le hasard, l'accidentel, et le significatif, l'adapté, l'accommodé.
L'autre est le fonctionnement, le développement formel.

(*C*, V, 707 ; *CI*, 334)

Une note de ce genre révèle assez bien une ambiguïté que Valéry n'a pas résolue. Réduire tout à « l'actuel », mots et images, en leur enlevant leurs « valeurs » (le « fiduciaire ») revient à une reconstruction méthodique de l'univers mental, considéré dans ses relations internes. Mais cette reconstruction demeurera une architecture virtuelle et finalement assez arbitraire, si n'est pas réintroduite l'épaisseur du significatif, son poids de « durée », et, avec le significatif, les aléas de l'accidentel qui suscitent les réactions et les transformations. Les trois dimensions se retrouvent donc inséparables, et en connexion avec tous les autres secteurs du « Système ».

Avec le problème du *Temps*, d'abord. Toute la différence entre formel et significatif pouvant se résumer en termes de « temps » et de « durée », comme le précise la note déjà citée de 1928 :

Significatif → perception — action voulue — *durée.*
Formel → sensations — suites — réflexes — *temps.*

Le passage du formel au significatif revient alors au passage du temps (l'instant) à la durée (perçue par la conscience) : ce qui se résume par la formule : « La durée est du temps qui a un *sens* — un temps significatif. »

(*C*, XII, 725)

L'exploration du problème du temps permet donc de définir d'une certaine manière, la liaison du formel et du significatif, puisque, comme nous l'avons déjà vu, au « présent actif », ou présent formel, « actuel » (lieu de « l'acte » — et il est évident que Valéry ici, comme souvent, joue sur les mots), s'oppose le « présent apparent », ou présent significatif, qui s'inscrit dans la durée (du souvenir par exemple) (*C*, IV, 66). Cela est mieux précisé encore dans une note de 1928, où Valéry, revenant une fois de plus sur son « Système », reprend son intention première de ramener « *l'ensemble hétérogène de la connaissance* » (*C*, XII, 753 ; *CI*, 826) à des relations « *de lois ou formes fonctionnelles et de "contenus"* ». Il prend alors, dans une parenthèse, la « *question du "temps"* [qui, dit-il] *est double — car il y a un* Temps perçu — *qui est un* contenu, *et des temps fonctionnels non perçus mais qui agissent sur les contenus, les subissent, les modifient et en sont modifiés* ». Il s'agit ici d'une interaction réciproque du formel et du significatif — où l'accidentel, d'ailleurs a sa part. Cela apparaît nettement dans le paragraphe suivant, où Valéry, rappelant que « *connaître est un acte* », « *compare ceci à ce qu'on trouve en considérant un* acte [...] — *dans lequel on constate d'une part son effet extérieur* » (par exemple « *le coup frappé* », « *l'objet déplacé* », « *le morceau mâché ou avalé* »), — « *et d'autre part le cycle moteur, l'énergie, les phases ou durées — les résistances, les puissances — les relais...* » Et il conclut : « *Le fonctionnel ou formel est essentiellement* actuel — *Tend à disparaître, à n'être pas perçu* [...]. » Ce qui l'amène à noter le rôle de la mémoire et de l'attention dans cette relation du formel et du significatif.

Dès 1913, il notait combien la notion d'hétérogénéité de la pensée, sur laquelle est fondé son Système, et celle du temps sont liées :

Avant tout la pensée est mélange, mixture et ceci avec un raffinement dans le mélange, inexprimable. Il faut chercher du côté des problèmes de mélanges. Ces mélanges sont étroitement liés à la notion de *temps*. La divisibilité des pensées par l'indépendance des constituants de la pensée ou l'indivisibilité — c'est le problème du temps. (*C*, V, 4 ; *CI*, 928)

On le voit, dans cette structure des « 3 lois », la notion de temps entraîne avec elle toutes les autres notions valéryennes de première importance, en particulier celles de « phase » et de « cycle ».

Je ne puis, faute de temps, m'arrêter sur tout cela, dont traitent par ailleurs d'autres communications. Mais je voudrais insister sur le rôle capital que jouent mémoire et attention dans le jeu du formel et du significatif.

Parmi les nombreuses notes qui lui sont consacrées, l'attention — « *cette propriété étonnante par laquelle la perception semble se mouvoir dans un contour — ou dans un simultané — et échapper en quelque sorte à sa variation* totale *ordinaire — propriété par laquelle le temps semble être reconquis* un instant » (C, III, 236 ; C2, 258) — est définie, en 1905, comme un « *état formel pour faire du significatif* » (C, III, 285). Reprenant l'image, qu'il affectionne, de la vision, Valéry écrit cette formule : « *L'attention est à la perception générale ce que l'accommodation est à la rétine /percept[ion] visuelle/.* » (C, III, 354 ; C2, 259). Son rôle est à la fois d' « élongation élastique » et de fixation, ce qui implique bien une transformation du temps.

Dans son mécanisme, la mémoire entre en jeu, à la fois comme élément fonctionnel — puisqu'elle apporte des modifications de structure dans la perception — et comme facteur d'accidentel. En même temps, l'analyse de ce « sujet capital » s'appuie sur les notions de « formel » et de « significatif ». Valéry note en 1914 que la « *production du souvenir se fait en allant du formel au significatif — de la tache à l'imàge, de l'image à la notion, du son au sens, du son aux syllabes, des syllabes aux mots et aux sens* » (C, V, 304 ; C1, 1225), le souvenir se construisant « *dans un ordre* local, *indépendant du résultat final : la reconnaissance* ». Mais le souvenir est « en général » « significatif » : « [...] *je revois* ce qu'il faut — Ce qui a un sens, des valeurs. J'ai besoin d'un effort pour retrouver l'insignifiant, le brut, le réel.* » (C1, 1241). C'est peut-être à propos de la mémoire que s'exprime le plus nettement la synthèse des « 3 lois » (écrit en 1930) :

La mémoire est transformation d'accidentel en propriété formelle — qui permet le significatif.

> La nature de la liaison est *formelle.*
> Son occasion de formation est *accidentelle.*
> Son effet est le *significatif.*

(C, XIV, 563 ; C1, 1247)

C'est également à ce sujet que se marque l'opposition fondamentale (beaucoup moins souvent exprimée) de l'accidentel et du formel :

On ne se souvient pas des actes élémentaires — de la main ou des jambes. *Pas de souvenirs du fonctionnel pur* mais seulement des habitudes.

On ne se souvient que de l'accidentel, exceptionnel. On ne se souvient pas d'avoir mangé tel jour mais de ce qu'on a mangé ; d'avoir parlé mais d'avoir dit telle chose. (C, XII, 625 ; CI, 1242)

Ce qui ramène à la notion de temps : « *Le fonctionnel n'est pas passé. De même p[our] l'avenir.* » (C, XII, 625 ; CI, 1242). La même idée s'exprime encore par la formule : « *Le fonctionnel est hors du temps chronologique.* » (C, XIX, 169 ; CI, 1257). Et encore : « *La mémoire veut le changement d'accident en substance et de la perception en fonction.* » (C, XXIII, 300 ; CI, 1258).

L'opposition et l'interaction du formel et du significatif se retrouvent dans l'analyse de la « self-variance », que Valéry définit comme « *le fait fondamental* formel » (C, XII, 912 ; CI, 1007). Cette dissolution continuelle, spontanée des objets de la conscience, qui « *fait de toutes choses des éléments identiquement produits, émis et résorbés* », lui paraît comme « *un processus d'égalité* » (« *Toutes choses* [précise une note marginale] [*étant*] *égales devant la substitution* naturelle, *c'est-à-dire* spontanée, *et toujours instante.* ») — à quoi s'opposent les « *inégalités* » du significatif, qui « *requièrent des propriétés tout autres et inconstantes, des* potentiels *ou de l'*énergie actuelle ». Le fait que « changer » soit « la constance » même de la pensée instaure un paradoxe, Valéry en convient ; mais par là aussi nous touchons à la qualité propre du fonctionnel :

— Par là, s'accuse bien le contraste remarquable *entre la diversité psychique* et *la monotonie fonctionnelle.* Et l'on peut dire que nous connaissons tant de choses au prix de l'ignorance de notre fonctionnement. L'œil ne se voit pas, mais voit les étoiles éloignées. Le voir est incompréhensible. *Il est caché par ce qu'il montre.* (C, XVII, 222 ; CI, 1052)

On voit quel moyen commode d'approche peut représenter ce complexe des « 3 lois » pour l'étude des phénomènes mentaux. Je ne puis que rappeler l'importance que Valéry lui donne dans l'analyse de la « sensibilité » — où ces notions de formel, de significatif et d'accidentel lui permettent d'une part de cerner la relation entre la « sensation » reconnue comme simple fonctionnement (« *Est sensation tout événement de conscience en tant qu'on peut le détacher et le discerner de toute correspondance, de toute transformation, de toute accommodation.* » (*C*, III, 676 ; *CI*, 1154)) et la perception, toute chargée de signification (« *On ne perçoit que le significatif* »), d'autre part d'affirmer l'importance capitale de l'accidentel dans le jeu de relations de l'esprit avec « son corps » et « son monde ».

De même, les innombrables études sur le rêve et l'état de veille se fondent d'abord sur cette distinction capitale : l'état de rêve se définit par la coïncidence du formel et du significatif — ce qui conduit à la formule : « *Le rêve est la signification du formel.* » (*C*, III, 725 ; *C2*, 20) ; tandis que la pensée consciente affirme cette distinction, ayant pour qualité essentielle de transformer l'accidentel en « *une forme* non-accidentelle » (*C*, XIV, 42 ; *C2*, 238) et de « *tendre à diminuer le nombre des facteurs indépendants de l'échange mental* » (désordre contre ordre, pluralité contre unité, etc.) (*C*, XIII, 339 ; *C2*, 237).

Quant à l'application à la « poétique » en particulier et à la création esthétique en général, elle est évidemment constante, on le sait. C'est un problème que j'ai abordé — et n'ai pu que traiter partiellement — à propos des conceptions de Valéry sur le théâtre. Cela nous ramène aux problèmes du langage, de la relation de la forme et du sens, du son et du sens, et au caractère fonctionnel du discours que Valéry met en évidence, particulièrement du discours écrit, dont « *chaque membre a sa fonction dans le lecteur et sa fonction dans l'édifice* » (*C*, XII, 401 ; *CI*, 264). Ces idées, qui furent abondamment développées dans le cours du Collège de France, sont nettement exprimées dans des notes de 1928, et utilisées dans « l'exercice » de « composition ». Il est intéressant de noter, ici encore, le rôle prédominant accordé au formel, ou plutôt au fonctionnel, car, l'accidentel étant nommément éliminé, formel et significatif prennent également une valeur « fonctionnelle » dans chaque partie du discours ; « l'épure » dont rêve Valéry poète serait la synthèse la plus proche d'un état « pur » du formel et du significatif. Ce qui explique la valeur très particulière qu'il donne aux notions de thème et de sujet, traitées à la manière musicale (comme le « thème » wagnérien est un motif formel à valeur significative simple) ; ce qui explique aussi le caractère fuyant des images, la multiplicité des connotations (polyvalence des sens dans une structure essentiellement fonctionnelle). Qu'il s'agisse de la création esthétique ou de l'exploration de l'activité de l'esprit, l'ambition est la même — celle de Gladiator : « *Essayer de construire la gamme et le système d'accords dont la pensée sera la musique.* » (*V*, 777 ; *CI*, 334 [écrit en 1915-1916]).

On peut en conclusion se demander pourquoi ce terme de *lois*. Sans doute parce que Valéry espérait d'abord réduire la fonction de chacun des trois registres fondamentaux à une loi générale, et que le faisceau des « 3 lois » serrait au plus près toutes les activités de l'esprit ? Cela n'est évidemment qu'une hypothèse [5]. Il est probable aussi que ce terme de « loi » se situait pour lui en relation avec la notion de « fini », qui représentait sans doute à ses yeux sa révolution dans l'étude du psychisme. Se démarquant de ceux qui « *considèrent leur propre être interne, leur monde propre singulier comme une sorte de forêt pleine de rencontres mystérieuses possibles, de surprises inouïes* » (*C*, IV, 916 ; *CI*, 927), il tend à reconstruire l'architecture d'un théâtre intérieur dont la perpétuelle mouvance reconnaît ses limites dans l'ordre d'un « système combinatoire » toujours remis en question. « *Tout l'imprévu dont il est capable est borné en quelque manière* » [6].

Revenant en 1942 sur les premiers principes de sa recherche, cette « physique de l'esprit » qu'il ne fut jamais las d'explorer, Valéry note encore :

Le type d'action complète — mon chef-d'œuvre de théoricien ! !
Ce type — que j'ai vu se dégager de mes expériences d'attention — accommodation etc. me paraît le plus propre à tout organiser dans le domaine de l'esprit — à donner les définitions etc. et un *sens* à ce que l'on fait.
Accidentel, significatif, fonctionnel — sont en toute question.

(*C*, XXV, 746 ; *CI*, 1096)

NOTES

1. Tous ces problèmes sont, comme le montrent les notes où ils sont étudiés, étroitement reliés à celui des « 3 lois ».

2. Il s'agit en particulier de l'opposition de la « forme » et du « fond », ou plutôt de l'étude de leurs connexions, familière à la poétique valéryenne.

3. « *Le* significatif *est borné par le* fonctionnel ». Cela est exprimé de façon beaucoup plus précise dans une longue note de 1941 où Valéry tente manifestement de clarifier ses idées. Définissant « *ce qu'on nomme Esprit, Pensée etc.* » (*C*, XXV, 146 ; *CI*, 1091) comme « *le producteur ou le produit d'un certain fonctionnement E et joue un rôle variable* [...] *dans un autre fonctionnement C qui comprend le premier et est essentiel à lui* » (1091-2), il prend l'exemple suivant :

« [...] *Tout fonctionnement est réglé en* temps de réaction. *Les temps de réaction sont liés (p[ar] exemple) aux dimensions des membres, à la sensibilité des seuils, à l'aller et retour, à la réponse mémoire, ou à la réponse sécrétion-contraction (gastrophysique).*

En somme, il faut combiner E (<C) avec la production E de ψ — comme dans la marche, il y a un *ASPECT *fonctionnel, ambulation, cycle uniforme et qui peut être à peine conscient, — et un* aspect *sensitif — significatif, le chemin parcouru, les* choses vues, — *qui sont comme production du régime de marche. Ma locomotion produit de la distance et du paysage.*

Et il y a bien des relations entre les 2 aspects, mais ils sont virtuellement, implement, indépendants. »   (*C*, XXV, 146-7 ; *CI*, 1092).

Une autre réflexion complète celle-ci :

« [...] *l'observation directe de ψ montre que ce fonctionnement E admet des propriétés* extraordinaires.

" *L'esprit* " *est capable d'une* infinitude *de perceptions, représentations, idées. Il possède un* implexe *énorme et qui peut croître (mémoire) sans limites connues. Et enfin il semble agir sur lui-même.*

Mais les propriétés fonctionnelles E se montrent nettement dans les limites que trouvent ces développements non fonctionnels — dans la durée *de chacun d'eux et dans le* nombre *des constituants indépendants de chaque coordination. C'est la finitude fonctionnelle.* »

4. Ici, sans doute, pour les besoins de la cause — mais aussi par un penchant personnel.

5. Peut-être songeait-il aux trois états de la matière — ce qui lui fournissait un schéma de « représentation » convenant à sa recherche ?

6. Voir encore cette note, qui résume bien ses intentions : « *Mon système est de représenter et non d'expliquer.* » (*C*, XX, 378 ; *CI*, 846).

LA NOTION DE FONCTION
DANS LE SYSTÈME DE 1900

par Louise Cazeault

D ANS le vocabulaire valéryen, une des notions les plus importantes mais aussi les plus énigmatiques est la notion de
fonction. Par son contenu, elle semble être à la source de la pensée
la plus générale de Valéry dont tout l'effort tient à la recherche du
fonctionnement de l'esprit. Et par ses connotations mathématiques et physiologiques, elle semble pouvoir être représentative de
la pratique analogique de Valéry. Ces deux aspects lui donnent
une position stratégique dans la pensée valéryenne et la désignent
comme fondamentale pour la compréhension de son projet.

Mais à cet intérêt s'ajoute l'énigme que représente la situation
particulière de cette notion dans le déroulement des recherches des
Cahiers. Un simple examen matériel des textes révèle en effet que
la notion de « fonction », dont le sens est établi en 1904, est introduite en 1902 avec la « Théorie des fonctions indépendantes »
(C, II, 606)[1]. Au cours de l'année 1902, Valéry utilise sa notion
comme instrument d'analyse des états psychiques surtout dans le
domaine de la connaissance spéculative[2]. Et ce n'est qu'à partir
de la fin de 1902 qu'il tente de la définir. De 1902 à 1904, huit passages des *Cahiers* présentent ces tentatives de définition. De plus,
ces tentatives sont encadrées de remarques où Valéry mentionne
qu'il ne sait pas comment définir ses fonctions[3]. On peut donc.
penser que, même pour lui, la notion de « fonction » est demeu-
rée problématique.

83

Ainsi, par son importance comme par sa situation particulière, le concept de « fonction » apparaît mériter une attention spéciale. Il importe de cerner plus précisément la signification de la fonction valéryenne. De plus, la façon dont s'élabore la notion dans les *Cahiers* invite à rechercher cette signification non seulement dans les définitions proposées par Valéry mais aussi dans le rôle qu'il lui accorde au sein de sa pensée. L'essai d'interprétation de ce terme englobe donc les composantes majeures du système de Valéry à cette époque. À ce système, on peut demander le cadre conceptuel de la notion de « fonction ». De plus, le but et le contenu des définitions étant connus, il éclaire la problématique intellectuelle qui justifie la conception valéryenne. Tels sont les aspects ressaisis dans cet essai d'interprétation de la notion de « fonction ».

*

Le cadre dans lequel s'insère la conception des fonctions est relativement bien déterminé dans les textes. Le passage qui présente la théorie des fonctions indépendantes est contemporain de la théorie des phases et cette dernière s'exprime en faisant constamment appel à la présence en l'homme de fonctions indépendantes [4]. On peut donc y voir le contexte le plus immédiat de la notion de fonction. L'examen de ce contexte précise ce que Valéry attend de sa conception des fonctions et le rôle qu'il lui réserve dans son système de l'esprit.

Dans ses éléments les plus apparents, la théorie des phases consiste à supposer que l'homme se compose d'un nombre déterminé de systèmes indépendants. Ces systèmes, par leur jeu combiné, sont à l'origine de tous les états qui se manifestent dans la vie psychique :

L'être étant fait de N systèmes — le jeu et l'intermittence de ces systèmes sont tels que leur fonctionnement et leurs indépendances ou dépendances mutuelles sont liés — La forme et la durée de ces liaisons donnent toutes les phases — action, mémoire, réflexes, volonté, sommeil, attention, *liberté*, excitation, dépression.
La difficulté est de trouver les variables qui entrent dans ces états et les lois qui les régissent. (1903) (*C*, III, 177)

Les phases, d'après les exemples donnés par Valéry, correspondent aux états complexes de l'homme. L'action, la mémoire, le sommeil occupent une durée ou un laps de temps de la vie psychique et ils sont formés de manifestations diverses qui se coordonnent entre elles. Ces états peuvent être assimilés à des états globaux, comportant en eux-mêmes des dimensions multiples. La compréhension de ces états exige l'expression de ce qui forme leur unité et l'explication de la façon dont ils se réalisent. Le texte de Valéry le suggère en supposant la réduction des états complexes à des variables et à des lois. On peut donc résumer la théorie des phases par deux aspects essentiels. Au point de départ, elle tient dans une position de problème qui précise le point de vue particulier de l'analyse de l'esprit. Celle-ci doit se fixer l'analyse des états complexes de la vie psychique. De plus, la théorie des phases comporte une hypothèse quant à la façon dont est constituée la vie psychique. Les états résultent du jeu de systèmes simples présents en l'homme. Cette hypothèse rend compte de la démarche d'analyse elle-même.

Selon cette problématique, la théorie des phases apparaît reposer entièrement sur la compréhension et la détermination des systèmes présents en l'homme. Ces systèmes, Valéry les nomme aussi « *composants indépendants* » « *variables indépendantes* »[5]. Ils correspondent aux fonctions. « *Je divise l'homme en P fonctions ou composants indépendants...* » (1902) (C, II, 826). Mais ces fonctions exigent à leur tour d'être précisées.

La forme de la théorie des phases donne une première idée des fonctions en opposant, dans l'analyse, l'état donné de l'homme et les voies qui conduisent à cet état. Alors que la phase ou l'état complexe équivaut à ce qui est donné, les fonctions reconstituent les voies de formation de l'état[6]. Par ce biais, les fonctions se comprennent comme des types d'activités. Cette compréhension est aussi directement mise en lumière dans l'hypothèse énergétique à laquelle Valéry fait appel pour exprimer la théorie des phases. Dans ce nouveau contexte, les fonctions ont pour objet propre l'activité indivisible de l'esprit tandis que les phases rendent compte de la diversité de ses manifestations[7].

Cette interprétation trouve une confirmation dans la compréhension intuitive que Valéry propose de ses fonctions. Déjà, dans le tout premier texte qui décrit la théorie des fonctions indépendantes, il illustre sa conception en recourant à des activités en l'homme :

Théorie des fonctions indépendantes.
En parlant, je m'habille etc.
Th. Lorsqu'une fonction déterminée A absorbe une énergie = E, si E > qu'une certaine quantité W — E tend à affecter d'autres fonctions B, C... Surabondance et dépendance.   (1902) (*C*, II, 606)

Dans ce passage, les exemples de Valéry renvoient à des activités au sens propre du terme. Dans d'autres textes, il décrit ses fonctions, sur le prolongement de cette compréhension, comme des systèmes de connaissance. Il les concrétise en recourant au domaine de l'activité sensorielle ou motrice : « *Cette représentation* [le Moi] *n'est pas un individu* [...] *elle est* [...] *une combinaison peu nette, de 2 fonctions réciproques (parler et entendre et comprendre — tracer et voir, — faire et subir, — voir* φ *et repousser, négliger — entendre par l'oreille et négliger — etc.)* » (1902) (*C*, II, 643) [8].

Ces éléments précisent les traits de la conception des fonctions qui se dégagent à partir de son rôle au sein de la théorie des phases. Sa valeur est suffisamment située en disant que les fonctions correspondent aux parties de l'homme et que ses parties ont rapport à des activités ou à des opérations.

*

Le contenu de pensée qui s'attache à la notion de fonction, au sein de la théorie des phases, est pour l'essentiel repris dans les définitions que Valéry propose de sa notion. Réduite à ses éléments constitutifs, une fonction est une partie variante de l'être douée d'une certaine continuité et cette continuité désigne une opération. Ces trois éléments résument en quelque sorte le contenu des définitions. Mais l'examen de ce contenu tel que le présentent les différents textes permet, par la variation du point de vue, de mettre en relief des compréhensions différentes de ces éléments et de leurs rapports mutuels. Il permet aussi de saisir ce que Valéry tente de réaliser par le biais de ses définitions.

Le premier passage qui propose ces éléments, le fait sous une forme interrogative qui équivaut à une position de problème hypothétique :

> L'homme est un système qui se transforme. Ses transformations sont de divers ordres, de diverses espèces.
> Se transforme-t-il dans un *sens* ? et tout entier ? ou par parties ?
> Comprend-il des systèmes partiels qui se transforment indifféremment ?
> Fonctions — Ensembles de phénomènes tels que l'on passe de l'un à l'autre par une opération identique, quels qu'ils soient ?   (1902) (*C*, II, 896)

Le contexte dans lequel se situe cette définition rappelle la théorie des phases. L'homme étant un système qui se transforme, il passe par des états divers. Cette situation étant acquise, le problème qui se pose est alors de savoir comment interpréter cette transformation. Parmi les hypothèses qu'il soulève, Valéry retient dans sa définition la dernière, soit que l'homme se transforme par parties. Ces parties, les divers systèmes en l'homme, équivalent aux fonctions. Valéry les définit des « Ensembles de phénomènes tels que l'on passe de l'un à l'autre par une opération identique, quels qu'ils soient ? » Cette compréhension met aussi en relief les éléments exploités dans la théorie des phases. Le rôle donné à l'opération, soit d'assurer la continuité, peut s'interpréter dans le cadre de l'hypothèse énergétique qui oppose la diversité des phénomènes à l'unité de l'énergie. De plus, la compréhension intuitive des fonctions, qui en fait un type d'activité, est reprise directement dans la mention de l'opération.

La deuxième définition reprend cette interprétation en termes de durée. Valéry précise sa notion en explicitant le but qu'il poursuit. Ce passage ajoute donc aux éléments déjà mentionnés la description du point de vue qu'adopte Valéry dans sa recherche des fonctions :

> Ce que j'ai appelé fonctions ou variables de l'être ne sont que des tentatives pour représenter ses propriétés simplement.

Voici le but : considère une durée de cet être. On peut décomposer cette durée d'une infinité de manières. Si on peut en particulier la décomposer en portions admettant une certaine continuité — on considérera chaque portion comme appartenant à un ensemble continu qu'on baptisera fonction...

En remarquant qu'il ne peut y avoir de portion infiniment brève — qu'il y a des solutions de continuité — des transformations — on voit le but condition de compatibilité.   (1903) (C, III, 22-3)

Le point de vue de Valéry dans cette définition peut être décrit au moyen du point de départ qu'il fixe à sa recherche. Ce point de départ est l'examen d'une durée en l'homme. C'est donc dire que, même si les fonctions sont des systèmes simples visant à expliquer tous les états en l'homme, la façon dont elles sont formées trouve son origine dans les états apparents de l'homme. Elles se fondent sur la saisie de ce qui se manifeste dans la vie psychique et sur l'essai de décomposition de l'état interne.

Dans cette perspective, le passage décrit le procédé de décomposition de l'état qui conduit aux fonctions. Il s'agit en effet de reconnaître dans la durée des parties « admettant une certaine continuité ». L'ambiguïté de cette formule sera levée par les autres définitions. Cependant, on peut déjà comprendre qu'il faut distinguer dans l'état ou la durée des parties pouvant s'unir, chacune, à un ensemble de parties avec lequel elle est homogène. Ce procédé révèle ainsi les conditions de compatibilité des parties reconnues au sein de la durée.

Le point de vue de Valéry et le procédé de décomposition de l'état qu'il tente d'établir sont repris et exprimés plus clairement dans les seules autres définitions élaborées de la notion de fonction de cette époque [9]. Ces définitions font voir dans l'effort de Valéry pour définir ses fonctions la recherche exclusive des moyens de connaître et de former les fonctions. Son point de vue est ici un point de vue subjectif. De plus, elles précisent, par le moyen d'exemples et par la description des actes qu'il faut poser pour les atteindre, les parties qu'il s'agit de reconnaître dans la durée et la façon dont ces parties forment des fonctions.

Les définitions distinguent deux opérations nécessaires afin d'atteindre les fonctions. La première consiste à dénouer l'état complexe en identifiant ses dimensions indépendantes. « *Chaque fonction (mienne) est définie par un groupe. On a une première opération qui montre l'indépendance d'une certaine chose (ex. couleur) d'avec un groupe d'autres fonctions.* » (1903) (C, III, 140). Le sens de cette opération s'explicite à partir de la situation qui lui est corrélative. Valéry l'exprime en notant que tout état est multiple et que les indépendantes sont connues au sein de leur dépendance actuelle. « *En général ces fonctions indépendantes sont données (ou agissent) simultanément* [...] *On ne peut les connaître séparément, mais dans ce nœud ou groupe, chacune* devant *figurer,* peut *figurer dans un état ou un autre.* » (1903) (C, III, 5). L'exemple de la couleur illustre cette situation. Dans les faits, on ne connaît jamais la couleur en tant que telle. Les phénomènes de connaissance visuelle donnent des complexes où sont présentes en même temps des formes, colorées, situées dans l'espace, en mouvement ou au repos, etc. D'où connaître la couleur c'est d'abord reconnaître, par exemple, l'indépendance de « bleu » au sein du complexe « disque-bleu-à droite-en mouvement ». On peut donc dire que la première opération distingue dans l'état les parties composantes.

Mais cette première opération à elle seule est insuffisante pour former une fonction. Elle doit se compléter d'une seconde opération dont le sens exprès est de reconnaître la fonction. « *Puis cette chose est reconnue comme fonction — c. à d. que toutes les substitutions possibles de cette chose qui n'altère pas les autres fonctions sont groupées et que ces substitutions forment un domaine — désignent une opération mentale implicitement — très déterminée quoique indécomposable.* » (1903) (C, III, 140). L'exemple de la couleur permet aussi de comprendre cette opération. Dans un état complexe, il y a des parties en soi indépendantes mais liées dans la représentation, ainsi disque-bleu. Or l'indépendance d'une partie tient à la possibilité de faire varier cette partie en maintenant le reste constant.

Le lien qui unit rouge et disque, vert et disque, est momentané, instable — Le complexe peut se transformer de N façons. — Il contient N variables. Mais si je change rouge en maintenant disque, je suis contraint de changer rouge en quelque chose ex : bleu. Ainsi bleu et rouge sont dans une certaine relation par rapport à disque et disque *est compatible* avec une *pluralité successive*. (1903) (*C*, III, 140)

C'est la définition même de l'abstraction, établie depuis 1897, dont le sens est de dégager les indépendantes [10]. La variation indépendante d'une partie révèle un certain nombre de termes possibles pouvant se substituer les uns aux autres. C'est cet ensemble de substitutions qui caractérise en propre une fonction et la fait reconnaître [11]. On peut exprimer autrement la totalité de cette analyse en disant simplement que la partie identifiée comme indépendante par la première opération est saisie, par la seconde, comme une valeur particulière se rattachant avec d'autres valeurs à une même variable.

J'appelle ici — souvent — fonction — ce qui peut entrer dans toute époque de conscience — — [...] sous forme d'une certaine valeur. [...] Ces valeurs constituantes se rattachent à d'autres valeurs pour former une fonction — par le principe suivant. Dans un ensemble E dont a b c sont des constituants — si E subsiste pour la substitution a/a' a et a' déterminent une fonction. (1903) (*C*, III, 160)

Ainsi, les définitions de fonction se situent au point de vue de la connaissance. Elles fournissent une démarche pour connaître et former les fonctions telles que Valéry les comprend. Dans ce cadre, les fonctions reposent finalement sur une expérience intérieure que les définitions tentent de décrire. En d'autres termes, le but qui anime ces diverses tentatives est de donner le chemin qu'il faut employer pour penser les fonctions [12].

Fonctions, opérations, relations, pouvoirs, — tous ces mots que j'emploie toujours — indiquent des expériences de l'esprit donnant des résultats uniformes — identiques — réguliers — Cela vaut mieux que les concepts — Et quelle base prendre ? Ne faut-il pas — s'il y a science — en arriver à dire : *faites ceci et cela* et que l'indication soit toujours claire et possible ? (1902) (*C*, II, 814)

Telle est la perspective qui anime les définitions de la notion de fonction.

*

Mais cette perspective étant acquise, plusieurs problèmes restent en suspens. Le principal, susceptible d'ailleurs de résumer tous les autres, concerne les rapports entre le procédé de formation des fonctions et la conception des fonctions comme des composants de l'homme au sein de la théorie des phases. Le procédé que Valéry propose relève essentiellement du domaine de la connaissance et même de la connaissance abstraite. Ce trait s'oppose, ou tout au moins semble étranger, aux fonctions conçues comme moyen d'explication de l'homme dans sa totalité. On peut aussi ajouter le problème posé par le sens concret des fonctions dans l'esprit et celui du vocabulaire lui-même. Pour lever ces problèmes, il apparaît nécessaire d'examiner les questions que Valéry tente de résoudre en recourant à une telle conception des fonctions, connues selon le procédé qu'il propose. En somme, il faut reconstituer la démarche qui l'a conduit à expliciter ses fonctions sous cette forme, ou encore, il faut dégager sa problématique intellectuelle.

Concernant cette démarche, quelques passages des *Cahiers* fournissent des repères explicites. Ces passages situent l'origine de la théorie des fonctions et ils permettent de retracer, par l'enchaînement des problèmes, ce qui peut, avec assez de probabilité, être assimilé à la problématique intellectuelle de Valéry.

Le point de départ de la conception des fonctions est indiqué par Valéry dans un texte à peine postérieur à la première mention de la théorie des fonctions indépendantes : « *L'idée des phases et des fonctions m'est venue en songeant que l'homme* travaille, *se* déforme *suivant telles voies particulières déterminées par des demandes ou excitations qui proviennent de tous points.* » (1902) (*C*, II, 658-9) [13]. Le renseignement essentiel que fournit ce passage est de mettre en évidence le rattachement de la notion de fonction à celle de travail mental ou, selon une autre expression de Valéry, de travail second : « *Les fonctions (que je n'ai pas encore pu définir) constituent des éléments distincts [...]. Travail second — opérations propres de l'esprit — actions.* » (1902) (C, II, 833).

Or l'identification de ce point de départ permet d'éclairer plusieurs aspects de la théorie des fonctions. D'abord, le renvoi au travail second confirme l'interprétation du caractère actif des fonctions, caractère fondé sur la définition de la fonction comme opération sous-jacente à un groupe de transformations. Ensuite, il réintègre les questions soulevées par la réalisation d'opérations mentales. Le fait qui est examiné dans le travail second est en effet ce type de changement qui se réalise par la déformation d'un état mental donné et qui implique la présence d'une partie invariante sur laquelle vient se greffer le changement des parties changeantes [14]. Cette problématique est celle-là même de la théorie des opérations [15]. Cependant, insérée dans le contexte du travail second, l'opération reçoit une interprétation plus générale. Elle n'y est plus comprise comme s'identifiant à des actes instantanés. Au contraire, elle s'applique à des processus complexes occupant une durée en l'homme. Enfin, la notion de travail second entraîne une problématique particulière en ce qui concerne la connaissance des opérations. Cette problématique tient dans la recherche de l'opération en tant qu'elle est désignée en elle-même. En d'autres termes, la notion de travail second s'identifie à la recherche d'un moyen de distinguer dans les éléments multiples de l'opération ce qui relève du pouvoir propre de l'esprit. Cette tentative, la plus importante pour saisir le sens de la notion de fonction, exige d'être précisée.

La recherche du pouvoir connu en lui-même est mentionnée dans une note de 1901-1902 où Valéry, à la suite de réflexions sur l'abstraction, décrit le sens du concept par rapport aux relations rationnelles ou aux opérations. D'abord, l'analyse valéryenne vise à montrer que dans la connaissance les opérations se distinguent des termes. Ce fait est la marque du pouvoir de l'esprit. « [...] *on peut distinguer les opérations des termes et c'est en cela que consiste la faculté du général — L'intellect c. à d. la notion du pouvoir propre de l'esprit — du travail second —* » (1901-02) (C, II, 336).

Le cheminement qui conduit Valéry à cette conclusion a trait à la valeur du concept. Il consiste à montrer que le concept n'a pas pour signification exclusive de désigner un objet. Ce qu'il désigne est un ensemble d'objets pouvant se substituer les uns aux autres par rapport à une même opération. Dans ce cadre, le concept signifie aussi l'indépendance de l'opération. « *Ex. : le mot "chose" indique que n'importe quoi peut se substituer à n'importe quoi dans certaines désignations. Il veut dire que d'un certain point de vue toutes les* choses *sont équivalentes. En d'autres termes, on peut faire certaines opérations indépendamment de leur matière. Mais directement on opère sur des* choses *déterminées.* » (C, II, 336). L'opération s'applique quel que soit l'objet choisi dans l'ensemble et elle n'est pas modifiée par cet objet. L'indépendance de l'opération, affirmée dans le concept, signifie aussi son identité. Les deux affirmations vont de pair. « *Dire que telle opération est indépendante de ses objets c'est dire aussi que cette opération demeure la même après le changement de ses objets.* » (1901-02) (C, II, 361).

Cette situation du concept par rapport à l'opération dans le domaine de la connaissance abstraite suggère ensuite à Valéry de demander le moyen d'une désignation du pouvoir de l'esprit aux restrictions que les opérations imposent à la succession des objets. De fait, Valéry généralise l'analyse du concept à l'ensemble de l'esprit. Lorsque n'intervient pas le pouvoir, on ne rencontre dans l'esprit que des états qui se substituent indifféremment les uns aux autres et cette substitution est suffisante pour le caractériser. Mais avec l'introduction du pouvoir, il faut recourir à un autre moyen. Ce moyen, Valéry le trouve dans le fait que « *les opérations se distinguent des éléments* », et deviennent dénominables (C, II, 336-7). La position de Valéry consiste à demander à l'ensemble constitué des objets auxquels s'applique une opération le moyen de nommer l'opération elle-même. «*Toute opération possible est visible par le temps. Il s'agit uniquement de dénombrer et de donner un nom constant à la collection trouvée.* » (1901-02) (C, II, 361). Ce procédé s'identifie au procédé de connaissance et de formation des fonctions tel que le décrira Valéry dans les définitions de sa notion. « *Puis cette chose est reconnue comme fonction — c. à d. que toutes les substitutions possibles de cette chose qui n'altèrent pas les autres fonctions sont groupées et que ces substitutions forment un domaine — désignent une opération mentale implicitement — très déterminée quoique indécomposable.* » (1903) (C, III, 140).

L'examen du point de départ de la théorie des fonctions conduit donc à mettre en relief des éléments de problématique qui la situent par rapport à la théorie des opérations et par rapport à la notion de travail second. Initialement, les fonctions reprennent une démarche de pensée analogue à celle de la théorie des opérations : elles sont l'examen du rapport entre les éléments changeants et les éléments fixes dans l'état. Mais à cause de leur lien avec la notion de travail second, elles supposent une refonte de cette problématique. Cette refonte tient dans la généralisation de l'opération et dans la recherche du pouvoir de l'esprit connu en lui-même. Ce dernier aspect soulève un problème de connaissance qui se rencontre de façon identique dans les définitions de la notion de fonction. Les problématiques sont, par ces aspects, proches parentes. Il reste, pour compléter la comparaison, à dégager le sens du mot *fonction* et à justifier ainsi le choix du vocabulaire valéryen.

À ce propos, Valéry a noté dans les *Cahiers* ce qui peut être jugé comme le point tournant de sa pratique. Ce passage, en explicitant les racines et le sens du mot *fonction*, révèle la complexité des analogies qui s'unissent au sein de ce terme dans son vocabulaire. Il identifie en même temps la signification concrète que les fonctions acquièrent dans l'esprit. Malgré sa longueur, il apparaît donc nécessaire de citer et d'analyser en entier ce passage.

La tentative de Valéry y est une analyse de la connaissance sensible exprimée sous la forme $y = F(x)$:

La connaissance par les sens repose sur des domaines de valeurs c. à d. sur une pluralité de possibles.
Essayons de la représenter par $y = Fx$
      x est totalement inconnu sauf une exception
      F n'est pas connue
      y est la connaissance
y est donné sous forme d'ensemble de valeurs. Mais entre ces valeurs il y a certaines relations.

Par exemple y_p y_q y_r correspondront tous à une seule valeur d'un autre domaine. Cette valeur sera un invariant de certains y.

De plus si des y se suivent dans le temps immédiatement, nous apprécierons des modes de succession — totaux ou partiels.

Si y se déforme continuement nous dirons que x est devenue égale à 0 et dans ce cas $y = f(t)$...

On entrevoit à ce sujet un type fonctionnel non ordonné. Une fonction généralement discontinue, qui peut être ou non périodique. Une fonction de ce genre est ce que l'on appelle *propriété ou faculté*.

Lorsqu'on applique l'analyse mathématique à l'étude d'une portion de matière, l'étude *commence* avec l'action à laquelle on soumet le corps — On étend par induction le résultat à toute la durée du corps. Physiquement ce corps est éternel comme masse et comme occupation d'un espace qui est toujours > 0.

Mais dans la connaissance, les variations et le *sujet* des variations commencent et finissent et forment sur l'ensemble total de la connaissance des discontinuités — au hasard. Mais il y a plus : *ces discontinuités peuvent dépendre de causes étrangères à la relation existant entre la variable et la fonction.* Ex. : l'attention

Dans le concept de possible entre cette discontinuité — ce commencement d'une existence avec ses formes et le prolongement.

On pourrait dire $y = F(x) + \varphi(z)$ — alors on en tire que la connaissance par les sens dépend non seulement de x et de F qui est la *forme* donnée à x par le sujet, mais aussi de z qui est l'énergie interne — $F(z)$ étant la *forme* donnée à cette énergie — attention ou autre.

De sorte que la connaissance d'une simple odeur ou couleur implique une x inconnue — une fonction intermittente Fx — ; une z inconnue et une fonction $\varphi(z)$.

Mais les formes F et φ ne sont pas sans rapports entre elles et avec z.

(1902) (*C,* II, 460-1)

Le sens de ce passage est contenu entièrement dans la phrase initiale. Dans tout le texte, la connaissance sensible est explicitée par rapport à un domaine de valeurs ou de possibles, et on peut dire que le développement a pour but d'expliquer la signification qui doit être donnée à cette affirmation. Essentiellement, celle-ci se comprend de deux manières différentes et complémentaires. D'une part, la connaissance sensible repose sur un domaine de valeurs en ce sens qu'elle se présente sous forme d'une multiplicité successive de valeurs représentant des formes composées. D'autre part, ces valeurs se comprennent comme un ensemble de possibles parce qu'elles rendent compte non seulement de la forme des phénomènes mais aussi de leur apparition, de leur existence. L'analyse de Valéry consiste donc à voir dans la connaissance sensible un ensemble de valeurs résultant d'une composition dans la connaissance et dans cette composition, à distinguer l'action de deux fonctions : une fonction structurale et une fonction énergétique.

Cette problématique présente aussi le contexte immédiat dans lequel se définit le terme *fonction*. On peut d'abord exprimer sa signification à partir de la formule $y = F(x)$. Ce que traduit Valéry par cette formule est une compréhension de la connaissance d'origine kantienne. Les valeurs composées de la connaissance, les y, résultent de la forme donnée par le sujet à une x inconnue. Or, dans ce contexte, se comprend le recours de Valéry à la continuité de la déformation et le sens qu'il lui donne en y voyant l'élimination de x. Il semble que Valéry, par ce moyen, cherche une connaissance de la fonction ou de la forme en elle-même. De plus, cette fonction comporte deux aspects complémentaires. Elle repose, selon la fin du texte, sur l'intervention d'un élément structural et d'un élément dynamique. La fonction valéryenne s'identifie à cette forme, saisie hors de son lien avec x, mais discriminée à partir des valeurs complexes y.

On peut ensuite donner à la fonction une interprétation plus psychologique. Valéry affirme que les valeurs de la connaissance, les y, sont multiples et qu'elles peuvent être reliées de plusieurs façons. On peut rattacher les valeurs diverses d'un domaine à un autre domaine ; on peut aussi réunir les valeurs selon leur succession immédiate, qu'elle soit continue ou non. Or, le sens de ces diverses relations est de poser le type fonctionnel que Valéry identifie à la propriété ou à la faculté. On peut donc assimiler les fonctions valéryennes, au point de vue de leur signification concrète, à l'objet que désigne, dans le vocabulaire habituel, le nom de faculté.

Cette identification permet de rejoindre le procédé de connaissance que Valéry rattache à ses fonctions. En effet, « *une "faculté" est une "propriété" qui peut être mise en jeu par*

l'être qui la possède — soit par conscience soit par réflexes.
[§] *Mais cette propriété n'est reconnue* [par lui] *que par ses manifestations — et chaque manifestation est particulière.* » (1904) (*C*, III, 429). À cause de ce fait, les facultés sont désignées par le biais des propriétés des choses. C'est dans ce contexte que la démarche de connaissance des fonctions et la théorie mathématique des groupes qui lui sert de cadre conceptuel prennent leur sens. Un passage au sujet de la musique est à ce point de vue particulièrement significatif :

Il y a une sorte d'unité de temps mentale qui règle l'opération mentale possible. Comment distinguons-nous les vitesses musicales ?

L'existence de la musique et de mélodies prouve aussi celle de *groupes* — ou *corps* — d'événements par rapport à telle fonction [...]. Telle note fait partie du groupe étant donnée *telle fonction* et les *autres notes*. Cela signifie que certaines propriétés — subjectives — sont conservées si telle note est adjointe à celles données. [...]

Donc — je puis en somme assimiler ce qui dans les groupes de l'algèbre est l'*opération* — et qui les constitue [...] avec cette *fonction* mystérieuse mentale — qui donne l'apparence d'un *corps* ou d'une évolution compréhensible à des événements donnés — distincts.

À l'aide de telle note nouvelle je puis suivre — continuer — comprendre une diversité encore *incomplète*.

E_p E_q =

Celui qui soutient un poids *sent* que cet équilibre est instable — non durable —   (1902) (*C*, II, 719-20)

Ce passage aborde le problème des fonctions du point de vue des phénomènes donnés dans l'esprit. Ce point de vue permet de saisir plus directement comment se manifeste la fonction au sein des phénomènes et il fournit des éléments de réponse à la question d'une reconnaissance des fonctions à partir de phénomènes donnés incomplètement.

Ces renseignements divers trouvent leur source dans la compréhension des fonctions comme facultés. L'exemple de la musique, exploité par Valéry dans tout le passage, peut servir de guide à l'interprétation de sa conception. La mélodie, en effet, forme un tout. Les notes qui la composent et leur succession font corps. Cette totalité et cette unicité présentes dans la diversité des notes de la mélodie se traduisent par deux caractères essentiels. D'abord, à la succession des notes répond la présence constante de propriétés subjectives déterminées. Ces propriétés règlent l'adjonction de notes nouvelles dans la mélodie en même temps qu'elles se réalisent par ces adjonctions. Ensuite, à la succession donnée des notes répond une succession prévue et même devancée par celui qui écoute. Ce fait exprime les rapports qui s'instaurent entre les phénomènes et les propriétés subjectives qui les supportent. Il indique une présence de la totalité qui s'oppose d'une certaine façon à la réalisation effective des éléments, lesquels sont saisis au sein d'une expérience successive. Ces deux caractères rendent compte de la perception de la mélodie comme tout ou corps.

Dans cette analyse de la musique, la fonction s'identifie aux propriétés subjectives qui sous-tendent la diversité successive des phénomènes. Elle est l'unité invariante qui donne à la diversité des phénomènes sa cohésion, qui forme les phénomènes en ensemble. Elle est aussi le lieu où cette diversité est présente implicitement et immédiatement, c'est-à-dire où la diversité est présente en tant que possible. C'est ce qu'exprime la prévision des phénomènes successifs. « *C'est la disposition, la possession de fonctions mentales ou opérations et d'éléments qui permettent la compréhension et on comprend* infiniment bien *lorsque à la fin de l'opération et conservant les conditions des données fixes nous pouvons disposer encore* — *précéder celui qui donne les données apercevoir l'*ensemble *des déformations compatibles avec ces données.* » (1902) (C, II, 646). Tel est le sens de l'utilisation de la théorie des groupes. Elle exprime la fonction par comparaison au domaine des objets qui lui est corrélatif. Elle rend compte de la connaissance de chacun de ces objets et de la présence immédiate de la totalité dans l'esprit.

*

Ces divers éléments de compréhension rendent compte de la signification complexe attachée à la conception des fonctions dans la problématique de Valéry en 1902. Elles apparaissent, au terme de cette démarche, constituer une expression particulière des parties composantes du pouvoir de l'esprit. Cette expression implique en même temps que des données psychologiques une position de problème quant à la connaissance de l'esprit et une démarche propre de formation. Ces dimensions multiples concourent toutes à la signification des fonctions valéryennes.

De plus, cette signification intègre des rapprochements analogiques avec les fonctions mathématiques et les fonctions physiologiques ou mentales. Ces rapprochements justifient en quelque sorte le vocabulaire de Valéry ou tout au moins ils l'expliquent par les ressources qu'ils offrent. Mais la complexité de cette conception interdit une assimilation des fonctions valéryennes avec une signification technique établie du terme *fonction*. L'analogie s'exprime en adoptant une voie négative. « *Je répète que par ce mot* fonctions *je n'entends ni les catégories, ni les fonctions des physiologistes, ni au sens mathém.* » (1903) (*C*, III, 25). Ces significations ne peuvent exprimer les fonctions au sens que Valéry leur donne car la complexité qu'il attache à sa notion contribue à en former le sens. On ne peut la réduire sans infidélité au point de vue de Valéry. « *Ma fonction — chose, conception, signe, symbole, composante humaine — plus puissante que l'organe et la cellule des médecins et que la faculté des psychologues — vraie ici et là, formelle et significative — chemin de tout l'être et aussi chemin d'un acte.* » (1904) (*C*, III, 234).

NOTES

1. Dans les Cahiers antérieurs, on retrouve quelques textes qui parlent des fonctions. Certains abordent la question sous un angle mathématique : *C*, I, 30, 424, 534, 597, 790. D'autres traitent des fonctions psychologiques : I, 38, 105, 114. Ces textes ne semblent cependant pas pouvoir recevoir une interprétation satisfaisante dans le cadre de la notion de 1902. Par ailleurs, la notion de « fonction » telle que Valéry l'élabore en 1902 est annoncée dans certains passages. À cause du caractère inachevé de ces passages et du moment de leur rédaction, ils n'ont pas été intégrés à cette étude. On pourra les retrouver dans les *Cahiers* : I, 171, 457, 653 ; II, 97.

2. Voir *C*, II, 646, 726, 838, 845, 849.

3. Voir *C*, II, 804, 833, 876, et III, 245, 249, 271, 294.

4. Voir *C*, II, 756-7, 803, 836, et III, 42, 712, et IV, 127.

5. Voir *C*, II, 914, et III, 297, 320.

6. Voir *C*, II, 596.

7. L'essentiel des conceptions de Valéry à propos de l'énergie est d'y voir une unité donnée qu'il s'agit de comprendre en en précisant les formes et les manifestations diverses. Cette interprétation s'appuie sur les refontes que Valéry fait subir à la conception énergétique. En physique, l'énergie est le résultat de l'analyse qui, partie des phénomènes du monde matériel, remonte vers ce qui en constitue l'unité. Dans ce nouveau champ d'application, l'unité est donnée et il s'agit de redescendre vers les diverses manifestations ou les phénomènes qui la réalisent. Ces phénomènes correspondent aux phases qui s'accomplissent sous l'impulsion spécifiée de l'énergie intérieure. Voir *C*, II, 203, 206, 312.

8. Voir *C*, II. 482.

9. Il s'agit de *C*, III, 5, 140, 160.

10. Voir *C*, I, 382, 452.

11. On peut noter à ce propos que pour Valéry il apparaît nécessaire que toutes les substitutions possibles soient connues. C'est ce que suggère ce passage de 1904 où Valéry compare sa notion de fonction à la notion mathématique : « *N.B. Les fonctions analytiques et non analytiques des géomètres semblent donner une idée assez claire de mes fonctions (analy.) et de leurs combinaisons ou phases (f. non analytiques). Ainsi l'ensemble des couleurs serait une fonct. analytique dans mon sens puisqu'on* peut les donner toutes. » (*C*, III, 262).

12. Il arrive que Valéry exprime ses fonctions en leur donnant un sens plus objectif. Ces remarques très brèves identifient les fonctions à des réflexes. On pourra les lire dans *C*, III, 128, 225, 231, 456.

13. Voir aussi *C*, III, 804.

14. Voir *C*, II, 207.

15. Voir *C*, I, 224-5, 266-7, 475.

ÉGOTISME ET SYSTÈME
CHEZ PAUL VALÉRY

par Daniel MOUTOTE

L'ÉGOTISME littéraire est cette méthode créatrice, plus ou moins nettement formulée, latente dans les œuvres de la fin du XIXᵉ siècle en France : le recours aux ressources du Moi. Lointain surgeon du Romantisme, il est surtout motivé par la ruine des idéologies traditionnelles qu'analysait Bourget dans ses *Essais de psychologie contemporaine* (1883-1885). Il est le fait de Barrès qui, dans *Examen des trois romans idéologiques*, écrit : « *Notre morale, notre religion, notre sentiment des nationalités sont choses écroulées, constatais-je, auxquelles nous ne pouvons emprunter de règles de vie, et, en attendant que nos maîtres nous aient refait des certitudes, il convient que nous nous en tenions à la seule réalité, au Moi.* » [1]. À la suite de cet initiateur, il est le fait de la génération qui eut vingt ans vers 1890 : Gide, Valéry, Proust... Ce que l'on voudrait montrer, c'est que l'égotisme détermine le Système de Valéry en sa genèse, sa structure et son fonctionnement.

*

l'égotisme et la genèse du Système de Valéry

Il est assez banal de noter la tendance « systématisante » de l'égotisme. 1) Dans le repli de l'être où se situe la réalité fonda-

101

mentale du Moi s'intalle avec celui-ci la dialectique de la conscience et de la réflexion, élément d'une synthèse de connaissance. 2) Le Moi range de plus tout le donné dans la perspective de son point de vue. 3) Enfin le dérobement fondamental permanent de cette origine substitue à la réalité pleine de l'existence une suite indéfinie de schémas qui en rendent compte : souvenirs, états présents, visions, comme ils disent, sans compter le rôle joué en l'occurrence par le langage, qui traduit l'expérience en un système linguistique, c'est-à-dire une syntaxe et un style.

Plus intéressantes sont les manifestations de systèmes littéraires à l'époque de l'égotisme « fin de siècle ». On les suit de Huysmans, dont *À rebours* (1884) présente non sans ironie le système de l'égotisme décadent, à Remy de Gourmont, dont le *Livre des masques* (1896) expose toute une galerie d'interprétations particulières de ce système. En tête de *Les Plaisirs et les jours* (1894), Proust donne une très belle image de cet égotisme d'un malade dont son œuvre devait présenter le système : « *Je compris alors que jamais Noë ne put si bien voir le monde que de l'arche, malgré qu'elle fût close et qu'il fît nuit sur la terre.* » (p. 13). Dans *Ménalque* (1895) Gide figure avec humour l'égotisme dont *Les Nourritures terrestres* présenteront en 1897 le système poétique, tandis que *Morale chrétienne* et *Littérature et morale*, comme des tombées du poème, donnent le schéma structural et génétique de sa vision du monde et sont les tables de son égotisme artistique.

Le maître de ce *Culte du Moi* reste Barrès, dont les ouvrages les plus importants à ce titre sont : *Huit jours chez M. Renan...* (1886), *Sous l'œil des Barbares* (1887) et *Un Homme libre* (1889)... Il est vain de se demander si Valéry a lu ces ouvrages, tant ces œuvres proposent des thèmes, et souvent des mots, sur lesquels bientôt il travaillera. Des notes jointes au premier retenons « Une Visite à Léonard de Vinci », la première des « Trois stations de psychothérapie ». Du second, les deux chapitres évoquant les rapports avec Renan : « Départ inquiet », dont l'épigraphe est bien connue : « *Il rencontra le bonhomme Système sur la bourrique Pessimisme* » ; « Paris à vingt ans », longue leçon d'arrivisme du vieux maître au disciple, et que ce dernier conclut très irrévérencieusement « *jusqu'à soudain administrer à ce vieillard compliqué une volée de coups de canne* ». Départ critique contre le Système pessimiste du vieux Renan ! Au contraire *Un Homme libre*, ce bréviaire de l'égotisme barrésien, présente à la fois le système de cet égotisme moral et psychologique et l'aventure par laquelle il s'invente : de Jersey, à Saint-Germain par Bayon, en Lorraine, à Venise, à Paris. C'est en somme le journal d'une expérience égotiste. Une ironie souveraine, comme un effet de distanciation, ouvre l'expérience en la libérant du cas et de la morale de Barrès. Le terme de *système* n'y revient pas moins de 15 fois, consacrant son union avec l'égotisme par ailleurs proclamé. C'est là un livre fondateur. Sans doute le Moi valéryen, comme le Système, seront-ils bien différents de ceux de Barrès. Mais que de termes semblent annoncer les recherches de Valéry ! *Cerveau* revient 7 fois. *Machine, machinisme, mécanique,* 13 fois. Faut-il rappeler que, par son origine et sa fin, tout le système moral d'*Un Homme libre* est dirigé contre l'*Objet* aimé, et que l'on peut lire : « *Mon* Moi *est jaloux comme une idole.* » (p. 141). Qu'on parle « *de tous les possibles qui se tourmentaient en moi* » (p. 184). En fait non seulement Valéry place mieux les mots : il leur fait rendre un autre sens. Ainsi où Barrès dit platement : « *la difficulté n'était pas de trouver un bon système de vie, mais de l'appliquer* » (p. 141), Valéry exprime la notion capitale de *récurrence* : « *Trouver n'est rien. Le difficile est de s'ajouter ce qu'on trouve.* » (*MT* ; II, 17). Mais chez tous deux le système vise au dressage du corps et non seulement de l'esprit, dans une pensée qui se connaît comme une gymnastique (p. 239), et dont la perfection paraît quand « *nous tenant en main comme un partisan son cheval et son fusil* » nous nous dirons libre (p. 40) ; dont la visée est « *que je me tienne en main [...] dans un univers que je vais délimiter, approprier et illuminer [...] où je m'apparaîtrai, dressé en haute école* » (p. 77). On n'est pas sans songer à « Gladiator ! Hop ! » de Valéry. Sans parler enfin d'un sentiment très vif de l'insuffisance du langage (p. 77).

Que ce soit par l'effet des tendances intrinsèques de l'égotisme ou par celui du milieu littéraire dans lequel il produit son œuvre de jeunesse, Valéry laisse deviner dans ses débuts l'orientation vers un système. De Valéry on connaît l'égotisme exubérant de « *Solitude* », sonnet de fin 1887 qui esquisse un rêve à la Des Esseintes :

> Loin du monde, je vis tout seul comme un ermite
> [...]
> Et je jouis sans fin de mon propre cerveau...　　　　(I, 1588)

Dans le cadre du sonnet, le moi enferme déjà le système de ses pouvoirs et de sa fuite infinie. En revanche « *Orphée* », surtout comme conclusion du « Paradoxe sur l'Architecte », rassemble àutour du mythe un système traditionnel qui place le poète au centre de l'univers des formes qu'il crée. Les « *Narcisse parle* » donnent un exemple plus riche de cette systématisation égotiste de l'univers poétique, puisqu'elle va se diversifiant autour de l'image du corps, et même s'enferme dans la forme musicale d'un projet de Symphonie pastorale. « *Hélène* » enfin, non seulement réunit autour du moi remonté des enfers le présent au passé mythologique, mais, par les perspectives qu'elle ouvre sur *La Jeune Parque*, semble annoncer la poésie future de Valéry comme un système suggestif des puissances du Moi, non seulement dans la nuit native de la Parque, mais dans la grande journée de *Charmes*, dont les attentes et les pouvoirs sont assez bien figurés par « [...] *les Dieux, à la proue héroïque exaltés* » (I, 76).

Envisageons enfin le Système en lui-même.

Valéry rapportera toujours l'origine de son Système à la crise de 1892. Parmi ses très nombreuses réflexions sur ce point, on peut citer celle-ci dont l'égotisme est évident :

> La notion de *pureté* est essentielle dans ma pensée. Elle s'imposa dès l'origine, comme résultat de self-consciousness exaspérée — Et celle-ci — comme *attitude* de *défense générale* contre *sentiment* et son obsession 91/92 aussi bien que contre dominations intellectuelles extérieures écrasantes...
>
> Il s'agissait de déprécier en bloc toutes ces productions de tourments — et de faire de bien des monstres — des phénomènes de... *moi* — des phénomènes « mentaux ». (*Mental* veut toujours dire *moi*, comme *mien* — etc.)　　　　(1939) (*C*, XXII, 444-5 ; *CI*, 851)

On se souvient également de « Propos me concernant » :

Cette crise me dressa contre ma '' sensibilité '' en tant qu'elle entreprenait sur la liberté de mon esprit. J'essayai [...] d'opposer la conscience de mon état à cet état lui-même [...]
Je devins alors un drame singulier [...]. Je me mis à recueillir tous les traits qui, dans ces irritations et tourmentes intimes [...] offrent quelque ressemblance avec des phénomènes physiques, font songer à des lois et permettent de considérer comme des troubles ou des vices d'un fonctionnement *local*, ce que notre naïveté attribue à des forces que l'on forge, au destin, à des volontés adverses [...].
[...] Tout ceci me conduisit à décréter toutes les Idoles *hors la loi*. Je les immolai toutes à celle qu'il fallut bien créer pour lui soumettre les autres, l'*Idole de l'Intellect* ; de laquelle mon *Monsieur Teste* fut le grand-prêtre. (II, 1511)

En tout cas, c'est après la publication de *La Soirée avec M. Teste* qu'apparaît dans une lettre à Gide le projet d'écrire et de publier le Système [2]. Valéry ne devait jamais l'écrire, mais le chercher, et finalement le vivre.

*

la structure égotiste du Système

Le Système, comme le Moi, est au sens large tout ce que Valéry a écrit pour l'atteindre sans réussir à l'épuiser : c'est-à-dire la longue structure linguistique des *Cahiers* dans laquelle il l'enferme. Car le Système ne laisse pas de se refléter dans toutes les autres pensées qu'il coordonne, dans tous les mots employés et qui, redéfinis, soulignés, séparés par deux points de suspension, rayés, surchargés, marqués d'un trait vertical dans la marge..., représentent de façon si particulière le mental valéryen. Au sens précis, le Système est la structure épistémologique, élaborée par Valéry pour rendre compte du fonctionnement de son esprit, qu'il cherche à saisir et qualifier dans divers textes des *Cahiers* : ceux qui sont intitulés « *Système* » à partir de 1921 et qui sont plus ou moins des « Projets de praefatio » (C, XI, 643), ou introduits par ce terme, ou encore, antérieurement à cette date, par un substitut de ce terme et qui concernent la représentation du fonctionnement de la pensée (Méthode, *N + S, Analysis situs*, « Matérialisme », Organon, Problème, mon problème, Transformations, Purezza, etc.). Ils renvoient à la crise de 1892 et à l'invention par laquelle Valéry s'en dégagea, fondant ce qui devait être sa méthode. Mon intention n'est pas de m'étendre sur ce point puisque aussi bien, ces textes, accompagnés de quelques autres qui se rapportent aux mêmes préoccupations, ont été choisis, en grande partie, et rassemblés par Mme J. Robinson sous la rubrique « Système » dans sa précieuse édition thématique des *Cahiers*[3]. Ce sont évidemment les pages les plus denses qu'il soit donné de lire sur le Système. Je me bornerai à souligner brièvement le caractère égotiste de cette structure de pensée.

Pas de problématique plus simple en apparence que celle de l'égotisme. Le Moi n'est-il pas le refuge immédiat, la direction toujours offerte de l'aventure intérieure ? Mais pas de problématique plus complexe que celle qu'instaure la retorse question du Moi. Le Moi est en effet ce qui questionne et ce qui est en question, la question récurrente par excellence[4]. Et Valéry a pleinement conscience de cette implication : « *J'ai compris une chose quand il me semble que j'aurais pu l'inventer. Et je la sais toute quand je finis par croire que c'est moi qui l'ai trouvée.* » (*C*, I, 53). Il la nomme dans cette mise au point sur la compréhension : « *L'esprit ou la connaissance ne sont compréhensibles qu'en tant que réitération* [...] *La liaison est répétition — soit d'éléments, soit de situations relatives. La loi continue est d'exprimer toujours le dernier terme en fonction des précédents. C'est une récurrence.* » (*C*, II, 104).

L'égotisme du Système paraît déjà dans le caractère de refuge contre la sensibilité — fonction du même contre fonction de l'autre — qu'eut la découverte de 1892, reprise tout au long de l'expérience des *Cahiers* comme un remède contre l'angoisse, et avec un pathétique accru vers les dernières années de Valéry.

Également dans le fait qu'il est lié à l'aventure intérieure du Moi pur, comme la recherche d'un répondant intime permettant, à chaque acte de connaissance, de dominer le donné dans une représentation de tout. À titre d'exemple cette récapitulation de 1942 :

Mon *Système*
Tenter de décrire l'*instant-durant* — sans s'inquiéter des idées philosophiques, et termes usés — —
C'est ce que j'ai voulu. J'ai trouvé l'opposition essentielle (φ, ψ) ; le type D. R. ; les « 3 lois » (significatif, formel-fonctionnel, accidentel) ; les dimensions C E M ; la notion capitale de *phase* ; la forme d'*action complète* ; la transivité et la fonction RE — Et les relations entre Conservation et Transformation ou entre ce qui se répète et le non répétable. Enfin, le Possible — — Et les effets de sensibilité.   (*C*, XXV, 674 ; *CI*, 853)

L'effort vers l'objectivation d'un système scientifique est assez évident : « *Mon idée* [...] *consista* [...] *à considérer pensée, perception, conscience* — *etc.* en bloc *comme représentées par un système en transformation* — *à peu près comme on traitait en physique les phénomènes sous l'aspect énergétique...* » (*C*, XXVI, 99-100). On peut noter la tentative pour « *chercher des invariants* » (III, 132) en faisant abstraction du psychologisme. Par exemple dans la notion de totalité : « *Trouver une représentation intuitive du fonctionnement total du vivant.* » (217). Mais est-ce possible ? « *Einstein a créé un* point de vue*, mais il n'y a pas d'œil humain qui puisse s'y placer.* » (X, 562). Tout le système finalement se fonde sur cet absolu non substantiel qu'est l'ego :

J'ai voulu me faire de la poésie, et choses semblables, (métaphysique etc.) une idée qui rapportât ces choses et valeurs à des fonctionnements et étapes d'un système vivant et pensant, comme je me sens en être un, et me le figure d'après mon expérience propre et directe, — abstraction faite de toute la traditionnelle terminologie. Mes sensations et mes pouvoirs, seuls en jeu — — autant que possible ! — Il est vrai que le langage donné et *ce que je sais* s'interposent — Nul ne peut être parfaitement PUR, et réduit à ses vrais besoins et moyens particuliers. On ne peut pas isoler SOI comme on isole un corps.   (*C*, XXIII, 288)

Les déclarations d'égotisme concernant le Système sont très nombreuses. À titre d'exemple : « *Discours de ma méthode : Histoire 1892.* [...] *Le Système* — *n'est pas un '' système philosophique ''* — *mais c'est le* Système de moi — *mon va-et-vient* — *ma manière* *de voir et de revenir.* » (C, XVIII, 55). Comme celle de l'ego, la structure du Système est régie par la notion d'intériorité, qui engendre celle de représentation, si souvent soulignée par Valéry, celle de pouvoir, de faire, de sensation, de va-et-vient... Elle est finalement régie par la notion de récurrence : *« En somme pouvoir penser l'être pensant. » (VIII, 514).

> Le problème, mon problème — Trouver le système de conditions, de références constantes ou toujours reconstituables, et d'actes qui permettent de représenter dans un langage minimum, homogène et propre au raisonnement — les phénomènes *en tenant compte de l'observateur* — (lequel introduit l'échelle etc., et toutes ces conditions capitales sans la désignation exacte desquelles le mot : phénomènes et toute vue des choses ne signifient rien) [...]. (*C*, VIII, 634-6)

Tenir compte de l'observateur, c'est appliquer la construction *en abyme* chère à Gide. Dans le même passage Valéry compare sa tentative à celles d'Aristote, Lulle, Leibniz, dont la visée était une *Combinatoire générale* : « *Leur erreur a été de chercher par là à savoir, à anticiper, à* trouver. *Je ne voudrais que représenter.* » Son entreprise n'est pas métaphysique, mais scientifique, mais d'une science complète, c'est-à-dire capable d'intégrer le vivant et de tenir compte de l'observateur. C'est ce qu'envisage ce beau projet de 1922 :

> Problème. Trouver une représentation qui rende compte, ou du moins qui soit capable, — du raisonnement et du sentiment, de la liberté et du trouble ; du clair et de l'obscur ; de la veille et du rêve ; du présent, du souvenir, du devant être ; du spontané et du réfléchi ; de la surprise des divers ordres ; de la permanence et du changement ; des variations de divers degrés ; des changements de points de vue et d'échelles ; du moi et du non-moi ; de la puissance et de l'impuissance ; de l'ordre et du désordre ; du physique et du psychique ; du désir, de l'espoir, du vouloir, de l'agir, du réagir — — etc. et aussi des développements *infinis en puissance et finis en acte.* (*C*, VIII, 703 ; *CI*, 811)

On remarquera la dichotomie de cette analyse qui se fonde sur celle de l'ego : moi/non moi ; même et autre...

On n'a jamais mieux dit, je pense, l'infinité et la fragilité d'une représentation complète, capable d'intégrer tout l'humain, en quoi consiste finalement la structure du Système. Comment une telle représentation est-elle possible ?

le fonctionnement égotiste du Système

Si Valéry n'a pas davantage publié le Système qu'il n'a publié un résumé de ses *Cahiers*, ainsi que l'expose Mme Robinson dans la Préface de son édition (*CI*, XIII, XIV...) à propos des Synthèses de sa pensée tentées par Valéry en 1908 et à partir de 1921, c'est qu'un tel Système intégrant son auteur n'a d'existence que poétique dans les ressources de l'ego. Dans la manifestation littéraire, il n'existe qu'*en abyme*, c'est-à-dire cité, commenté, proclamé par un disciple, mais latent pour son auteur. Telles, pour limiter là mes exemples, les *Pensées* de Pascal. Tel ce poème *en abyme* dans toutes les œuvres d'André Gide et dans le nouveau roman d'un Butor. Tels les *Cahiers, en abyme* dans la manifestation d'ensemble de Valéry. Tel le Système, latent dans les *Cahiers*.

Ce n'est pas une connaissance de la pensée et de l'expérience, mais une méthode pour bien conduire sa pensée. Comme toute méthode elle réfère au sujet qui l'applique. À cet égard, c'est très significativement que Valéry renvoie toujours à l'événement fondateur de 1892. Cette chute dans le temps ne s'explique pas : elle se raconte. Non substantiel, l'ego ne se peut fonder que sur son histoire. En particulier sur son acte : « [...] *des actions successives dont le caractère principal était que je savais ou ne savais pas les produire.* » C'est ce que Valéry note dans son « Projet de praefatio » : « — *Je dirai ici ce que j'ai pensé, imaginé, et essayé mais non sous la forme ordinaire des exposés philosophiques [...]. Mais moi, je raconterai les souvenirs de mon esprit, les ''théories'' qu'il s'est faites pour soi et non pour tous. L'esprit de chacun enfante ce qu'il peut et ce dont* il est *le besoin à un instant donné.* » (*C*, XI, 643). La biographie de sa pensée a pour lui un sens fondateur.

La véritable intégration du Moi dans le système ne peut guère être que l'intégration au Moi lecteur. Non par une logique, mais par un entraînement. Valéry l'a noté bien des fois : « *Ma philoso-phie est gymnastique.* » (1912) (*C*, IV, 698). Elle comporte deux cha-pitres simultanés : « Expériences et Exercices » : « *Le premier traite des impressions* [...]. *Il progresse vers la construction des actes* [...]. [§] *L'autre est le fonctionnement, le développement formel.* » (V, 707). Elle conduit à « Gladiator », autre traité *en abyme,* qui vise le dressage de soi : « *Gl. Sys. Se refaire en refai-sant le Système de classement et de définition convention-nels.* [...]. [§] [...] *et repartir, pour cette reconstruction, d'expé-riences mentales directes, — sans aucun* crédit *laissé ou consenti.* » (1927) (XIII, 335). Cette intégration dépasse la simple pensée : « *'' Gladiator '' serait en somme le Code — le livre sacré de l'*action pure *— du pouvoir dans le possible — remettant (grâce au* Système*) la pensée, le psychisme à son rang.* » (1936) (XVIII, 801). C'est une théorie de l'*inventivité,* permettant la construction du Cheval, du poète, du musicien, du géomètre..., mais de l'intérieur de soi. « *Lionardo* [§] *Être, et ce qu'on est, et son propre mathé-maticien et son propre physicien, et son propre constructeur — c'est-à-dire observateur, combinateur, organisateur, ouvrier —* » (XXI, 123). La question reste celle de M. Teste : « *Que peut un homme ?* » Pourra-t-il se grandir, ne pas se laisser limiter par l'automatisme, s'inventer ? N'est-ce pas au mythe poétique du Centaure, du Centaure Chiron emportant Hélène au *Second Faust,* que conduit la recherche sur le fonctionnement égotiste du Système : « *Moi qui chevauche Moi pour sauter de Moi en Moi — Gladiator ! Hop !* » (XXVII, 882 ; *CI*, 377).

*
* *

Le Système est largement l'information égotiste d'une expé-rience. D'où son aisance (le génie est facile), sa négativité (la cri-tique perpétuelle du Moi pur), sa prise en considération de la tota-lité de l'homme individuel (φ, ψ, etc.), sa fragilité (tout est dans un homme, se limite à ce que peut un homme). Mais par les formules suggestives qu'en a données Valéry, et, bien que réduit à une per-pétuelle approche, il est transmissible sous la forme d'une toujours plus efficace appropriation des pouvoirs latents de l'inventivité humaine. Il éveille l'esprit plutôt qu'il ne le comble.

S'agit-il d'un mysticisme ? Sans Dieu certes. En tout cas d'une mise en pratique de cet étonnant pouvoir de l'homme, de cette ressource individuelle, de cette rature sur le vivant, de cette systématisation et purification de toute expérience, qui permettent de se récupérer sur le vague de l'existence confuse, de miniaturiser son savoir et sa culture, d'intégrer ses découvertes et, peut-être, de maîtriser sa condition.

NOTES

1. Maurice BARRÈS, *Sous l'œil des Barbares* (Paris, Plon, 1922), p. 15.

2. Lettre du 22 février 1897 (*Corr. VG*, 286).

3. Voir *CI*, 775-865.

4. Voir LALANDE, *Vocabulaire technique et critique de la philosophie* (Paris, P.U.F., 1962) : « RÉCURRENCE », sens *C*.

EFFETS D'IMAGINAIRE
DANS LE SYSTÈME

Le « *système DR* »

par Jeannine JALLAT

« *I l y a un type Réflexe — et un type : accommodation et il faut tout ramener à ces deux types* » (C, XII, 713). Valéry affirme cela en 1928 et confirme en 1940 :

> Je me suis servi de deux types d'actes :
> 1° l'accommodation visuelle
> 2° la copulation
> [...]
> Le 2° car c'est le type de l'acte le plus complet possible [...]. Écart très fort [...]. Cycle bien marqué. (C, XXIII, 29-30)

Entre le réflexe et l'acte complet, donc, une simple différence de complexité : ils occupent la même place dans la typologie. S' « *il faut du réflexe passer à la notion d'acte complet* » (C, XVIII, 888), « *la notion d'*acte réflexe », déjà, « *permet de soupçonner le mécanisme alternatif* », celui d'un « *cycle de Carnot* » à deux températures. Au contraire, « *le phénomène de l'accommodation donne le type du fragment (d'acte complet)* » (XXVII, 312). C'est du « *type réflexe* », « *acte complet* » que nous traiterons ici. Mécanisme alternatif, structure bi-polaire : la Demande et la Réponse — c'est-à-dire hétérogène. Ce qui demande en nous n'est pas ce qui répond. Il y a un « *domaine des demandes* », des « *exci-*

113

tations » — en gros, la sensibilité — et un « *domaine des réponses* » : actes, organes, fonctions. Mais aussi esprit.

L'idée de fonctionnement m'a dominé. J'ai pensé que le type Acte-réflexe était le fait fondamental — et été conduit à développer les termes de cette relation non réciproque et *essentiellement* hétérogène (soit : le terme *Excitation* : c'est-à-dire étude de la *Sensibilité* ; le terme *Réponse*, étude de l'*acte*) le tout formant la notion d'*Action complète* — avec cyclique — — exigée par le retour à l'état de disponibilité   (C, XXVII, 312)

Donc, le système alternatif n'est pas réciproque. Tout le problème sera de la correspondance de ses deux termes : de leur recouvrement, du sens de la relation, de sa forme, de l'articulation qui ramène le système en arrière. Intervalle, retour non réciproque, égalité ou inégalité, réversibilité ou non : qu'en est-il de cette « cyclique » ou, comme dit aussi Valéry, de cette « cyclose » ?

Et d'abord, quand la figure nommée « *type réflexe* », « *acte complet* », « *cycle* », ou « *DR* » (Demande-Réponse) se constitue-t-elle ? On n'aura pas l'ambition ici de reconstituer une histoire de ce modèle, qui supposerait connue une histoire générale des modèles valéryens, c'est-à-dire pour chacun d'eux des questions posées du genre : date et contexte d'apparition dans le Système ? Pour dire quoi et en remplaçant quel modèle précédent ? Que change cette substitution d'énoncés ? Quels rapports — homologie, réimplication, bricolage — entretiennent ces modèles ? Pour prendre notre exemple, quel rapport y a-t-il entre le schéma primitif de l'Action et Réaction et celui de la Demande et Réponse ? Mais aussi entre le système des « relations rationnelles » / « irrationnelles » et le Système DR ? Entre le « égale zéro » de l'équation de la DR et celui du Moi pur ? Toutes questions qui, faute à la fois d'une enquête précise et d'une perspective générale, ne feront que traverser cette étude. Mais les questions ne sont pas seulement celles du rapport de représentation. Il faudrait aussi voir à quel type de notion, à quel discours scientifique renvoient les différents modèles. À quelle idéologie, mais aussi à quel imaginaire ? Le modèle scientifique, quand il hante à ce point le texte d'un non-scientifique, nous pose peut-être plus encore que la question de l'épistémologie : à quel type de savoir avons-nous affaire ici ? —

114

celle-ci : à quoi cela fait-il rêver ? Ou pour donner un sens plus précis au mot *imaginaire* : qui se regarde ici ?

Nous commencerons par quelques repères. Valéry date avec raison, quand il y revient, son « type réflexe » des années de travail sur l'attention. C'est en effet au cours de l'année 1902 qu'intervient et se précise le modèle de la demande et réponse, au début de 1905 qu'apparaît le sigle DR, en juillet 1906 l'expression de « *système DR* » (C, III, 881).

La première esquisse du système de la *réponse* et de ce qui l'a suscitée semble se situer vers mars 1902 (II, 406). Car c'est la réponse qui est d'abord en cause. Si la *demande* apparaît une page après (407), la terminologie n'est pas immédiatement fixée. Pendant un temps assez long, Valéry emploiera concurremment le terme d'*excitation*, plus rarement celui de *provocation*. Le couple de l'Excitation et de la Réponse fait sigle le premier : « *E + R = 0* » (456). Le terme d'*excitation* survit même à l'apparition du sigle DR (III, 881) : on rencontre encore « *l'excitation-demande* » (III, 687), l' « *excitation* » (III, 837 et 839)... ; l'*Excitation* et la *Réponse* se retrouvent comme couple titulaire dans le texte sur l'*Action complète* de 1943 que nous avons cité plus haut (XXVII, 312).Cependant, à côté de nombreux passages où les deux mots paraissent interchangeables, il est possible de reconnaître un ensemble de textes dans lequel — outre les privilèges du sigle DR — se définit une spécificité de la *demande* et/ou réponse.

Et/ou : c'est pourtant la réponse, on l'a dit, qui apparaît la première. Quand elle intervient (II, 406), c'est sur fond d'énergétique, liée au modèle du cycle :

Inconscient
[barré : *On sait qu'il est*]
C'est comme le rétablissement continuel d'un équilibre une régulation des transformations de l'énergie dans un but — ou plutôt un *sens particulier*, déterminé localement.
Et aussi une subvention de l'être vivant. Cycles
La conscience a une apparence discontinue. Elle résulte, avec son apparence indépendante, détachée de son objet, centrale et une — du retentissement des cycles distincts. Retentissements indépendants des cycles et qui semblent, eux, se réunir.

Au fond ce qui étonne la conscience qui juge l'inconscient c'est que certaines actions puissent être inconsc. ou consc. Cette double voie est merveilleuse.

La conscience est presque... la non-réponse immédiate à une excitation. Elle serait à la *réponse* ce que la chaleur est au mouvement. (*C*, II, 406)

La première occurrence est donc celle d'une réponse déniée. La conscience est précisément ce pouvoir de négation ou plutôt de suspension : *« la non-réponse immédiate à une excitation » et, page suivante : « *la pensée — acte retardé* ». La première référence à l'excitation-réponse est un écart. C'est dans les termes du système réflexe, mais niés, que le système DR va se définir. Définition de la conscience sur le modèle énergétique (de l'inconscient), mais comme fonctionnement différent. Différence à l'intérieur du système ? C'est ce que tente d'établir la formulation des deux voies énergétiques : la réponse immédiate — « inconsciente » — est de l'ordre du mouvement ; la *« non-réponse immédiate » ou « *conscience* », de l'ordre de la chaleur : c'est-à-dire une dérivation, un bruit du système, une infraction à son économie. Ce caractère secondaire apparaît dans les mots : *résulte, retentissement*. « *La conscience n'est pas de la nature d'une force* » (*C*, II, 406), mais une résultante des forces : chaleur, retentissement, effet induit. Ce retentissement qui remplace la réponse et diffuse l'effet, on le retrouve dans le deuxième des quatre schémas que Valéry essaie à la page suivante (II, 407) :

Après le schéma normal de l'A(ction)-R(éponse) qui représente le réflexe inconscient (schéma 1), vient se placer un schéma du retentissement pur, sans réponse aucune. La « non-réponse immédiate » y est radicalisée en non-réponse ($R = 0$).

Mais textes et schémas proposent aussitôt (*C*, II, 407) une autre formulation : non plus *écart* au fonctionnement *dans* le système (la chaleur est une entrave à l'économie, non au système), mais *fonctionnement* particulier, plus complexe. La dérivation est ici relais, aiguillage. Le retard assure la réponse quand la réponse est trop loin :

La pensée — acte retardé — —
    Tout ce qui nous vient donne images ou actes.

Les images sont des traductions nécessaires pour que telle demande trouve sa réponse qui serait directement trop lointaine. L'image doit donc être déformable [...]
    Toute excitation *cherche* sa réponse

    L'image comme intermédiaire quand la réponse est trop loin de la demande — quand la demande ne commande pas la réponse —   (*C,* 407-8)

Ce texte où apparaît la *demande* est intéressant à deux titres. D'abord pour sa formulation fonctionnelle de l'écart : le « retard » est celui de la « traduction », de l' « intermédiaire ». La dérivation n'est plus une perte, mais une voie indirecte. Simple condition de « distance ». L'alerte précédente — quelque chose se passe du côté de la réponse : elle ne vient pas — est ici réparée au profit d'une meilleure adaptation du système. La « non-réponse immédiate » est en fait un *bon fonctionnement* : c'est pour mieux répondre que le système semble se suspendre.

. Mais si l'on est rassuré sur le domaine des réponses, sur les capacités de réponse du système, la question s'est déplacée : quelque chose se passe du côté de la demande. Qu'est-ce que cette demande qui ignore sa réponse, qui ne la contient pas ? « Quand la demande ne commande pas la réponse »... C'est le schéma de la « relation irrationnelle » ou suite non obligée que Valéry essaie depuis plusieurs années de définir. On voit aussi que, pour la formalisation de cette demande ouverte, si le mot d'*excitation* est encore employé : « *L'excitation* cherche *sa réponse* », c'est à une contre trois occurrences au mot *demande* : « *pour que telle demande trouve sa réponse* », « *quand la réponse est trop loin de la demande* », « *quand la demande ne commande pas la réponse* ». Et ce n'est pas là privilège, mais acte de naissance. De même que l'écart au code réflexe produisait comme négative la notion de « réponse », la disjonction des deux pôles suscite la notion de « demande » : demande en attente, à quoi la réponse n'est pas donnée. Aussi n'est-il pas abusif de dire que se constituent, dès l'origine, un couple : excitation—réponse (le réflexe) et un système : demande → retard-relais → réponse indirecte, qui est la recherche propre de Valéry. C'est leur chevauchement qui produit les vacillations de la terminologie valéryenne.

Le couple de la demande et de la réponse se forme donc comme une figure de séparation : de ces deux éléments, l'un n'est pas la *raison* de l'autre. Mais c'est aussi l'invention d'un modèle d'inégalité. Et en cela il reconduit le schéma de 1892 de l'Action et de la Réaction, toujours vivace vers 1899 (*C, I, 754*) : « *En matière psychique l'action n'est pas égale à la réaction a priori. Bien au contraire, il y a différence radicale de toute manière entre A et R.* » La réponse indirecte apparaît dans le quatrième schéma (407), où elle fait reculer la localisation de la conscience : profondeur obscure du retentissement sous la ligne de surface tracée dans les trois autres schémas, elle doit ici s'appuyer sur un sol ferme d'où reparte une force. C'est déjà le problème de l'origine des réponses différées, de l'existence d'une « ressource », d'un « potentiel », des « deux sources » du fonctionnement énergétique. Valéry parle très vite de « réflexe intérieur », d' « inspiration de l'inconscient » : « c'est savoir par cœur ce qu'on n'a jamais appris ». Où est la source ? « *Cela sort par jets brusques. C'est une sorte de réflexe. Je réponds sans y penser* » (*C, II, 413*). D'où vient le « réflexe » du langage ? Du lieu même de l'Autre, où le sujet n'a pas accès : « *Cette phrase qui me vient n'aurait aucun sens si elle n'avait été moulée d'avance sur ce sens même* — mais je n'y étais pas. *Et comme elle paraît toute faite dans le* lieu *même où* je crois *que les phrases se font* — *je songe qu'il y a un autre lieu où elles se font réellement et où je n'entre point.* — » (430). Mais l'essentiel est peut-être dans les équations dont s'accompagne le croquis. Avec le schéma 3 (simple décomposition de la force A en deux directions : la Réponse et le retentissement ou Conscience), la formule $A = C + R$; avec le schéma 4 surtout, les formules : $A = C + R'$ et $A = R + C + R'$, remettent en question la première lecture

proposée de l'inégalité : si « *l'équation A = C + R est fausse* »,
disait alors Valéry, c'est que « *très souvent A < C + R* » (relation valéryenne du retentissement : à petites causes, grands effets).
Au contraire l'addition de *R'* à *R* semble s'épuiser à égaliser le
système. La p. 409 formule très précisément la notion de « compensation » et la p. 411 recourt au vocabulaire de la dette :
« remboursements ou échanges ». Le sens de l'inégalité se ren-
verse : non plus le schéma du retentissement, mais celui d'une
demande trop forte. Quelle ressource lui répond ? Où y a-t-il de
quoi ? Mais aussi demande — ou excitation (la terminologie est ici
instable) — dangereuse, qu'il importe de compenser : « *la conscience dans ce système résulte de la distance qu'une excitation* [...]
a à parcourir pour se compenser par une réponse » (II, 409) ; « *cette
distance dépend 1° de l'excitation elle-même* [§] *2° du théâtre* ».
Dangereuse aussi parce qu'elle pourrait être liée à un interdit. Dès
la p. 406 la suppression de la réponse est interprétée en refus
(avant de l'être en simple retard p. 407) : « *Si je pensais consciem.
— je ne ferais pas cela — — Si j'avais pensé* davantage *je n'aurais
pas fait cela* ». La valeur morale de cet énoncé d'une conscience-
non apparaît dans la distinction qui le suit :

Domination des *réponses* phys.
— — psychiques. Inexécution de leurs tendances

Dans une page qui a vu apparaître la réponse comme non-réponse
sur contexte d'inconscient, cette persistance de la configuration :
tendance (inconsciente)/refus (conscient) inviterait à relire le
schéma 2 de la p. 407, non plus comme un simple schéma de retentissement, mais comme un schéma de blocage, d'inhibition. Voilà
qui alerte sur l'enjeu du Système.
   Demande dangereuse, enfin — surtout ? — car on ne sait pas
d'où elle vient. Comme pour la réponse, la question est ici de la
source. Où situer l'excitation — ou la demande ? « *Mais ces
demandes, quand elles proviennent d'une excitation non extérieure ? — (Ce cas existe-t-il ?) Extérieur est le mot trompeur.
Savons-nous exactement les limites ?* » (C, II, 408). Le clivage de la
terminologie est ici révélateur d'un partage et d'un déplacement

des instances. Face au recul illimité de l'excitation comme origine, la demande est comme un second temps, celui où, l'excitation n'ayant pas reçu automatiquement sa réponse, je perçois un manque. Elle est déjà dans le retentissement. Fantôme en moi d'une excitation non assignable, et *déjà peut-être réponse*. Si les « idées » ne sont que des « passages », que dire « quand elles reviennent » ? Problème que traitera l' « Idée fixe ». Ici leur retour se voit appeler « *demande* » (II, 408). Ainsi dès le début apparaît le double thème, qui va infinitiser le Système, de la réponse qui est demande (et relance le système) et de la demande, seule perçue, qui est déjà réponse : « *L'excitation ne nous est connue que par sa réponse* [...] *Nous ne percevons que des réponses* » (410), « Toute excitation qui nous est connue est déjà elle-même une réponse à une excitation antérieure inconnue ». Thème de la demande inconnue : réponse à quel caché, enfoui, perdu ?

Si j'ai insisté un peu longuement sur ces premières pages, c'est que leur espace est l'espace même de développement du Système, avec ses divergences. Dès le début, on le voit, le Système travaille : notion d'une *distance* ou d'un *temps* entre D et R, inégalité des deux pôles. Aussi bien sa figuration est-elle quelque peu instable, traversée, on l'a senti, par deux modèles de représentation contradictoires, ceux-là même que Valéry essayait depuis longtemps de former pour rendre compte des phénomènes mentaux, au moment où il découvre les possibilités du système réflexe. L'un reconduit la perspective linéaire de la « relation rationnelle »/« irrationnelle », l'autre la visée énergétique de la « cyclose ». D'un côté, on emprunte à la géométrie et à l'algèbre, de l'autre, à la thermodynamique. Si la première figuration a ses prestiges : les exemples séduisants de la *droite* géométrique, de la *mélodie* musicale, c'est-à-dire le problème valéryen de la *suite*, c'est la seconde qui va, semble-t-il, l'emporter, puisque la *phrase* et la mélodie passeront sous son chef. Et sans doute est-ce parce qu'elle offre un gain à l'imaginaire, quand la première donnait tout au symbolique. Mais, au début, l'hésitation se marque dans les reprises de la page : Valéry esquisse et biffe une formulation linéaire (C, II, 407) : « *Action → Réponse → Conscience* », après l'énoncé des

« cycles » et juste avant de recourir aux schémas de décomposition des forces, qui céderont la place, à leur tour, à l'énoncé de la « distance » dans le premier texte sur la demande. Parfois une formulation évite de choisir entre la ligne et le cercle : « *La pensée — Résistance intercalée sur le cours du réflexe* » (412).

Partage et chevauchements se précisent si l'on consent à lire ces modèles au niveau de leur imaginaire scientifique, de leur signification et non de leur référence. Ainsi, dans le texte suivant, le premier à faire de la demande et réponse le système même de l'esprit : « *Équations fondamentales — Celles de la mécanique signifient en gros que tout phénomène méc[anique] n'est que temps, longueur, masse.* [§] *Tout fait mental n'est que demande et réponse.* » (C, II, 793). La seule capacité de mise en équations est prise en compte dans la mécanique. Algèbre de la mécanique, c'est-à-dire séparation en éléments, substitution, coordonnées. Il s'agit ici de rabattre le vivant sur l'espace purement symbolique d'un système plat (car le système, c'est l'homme « *sans perspective* », III, 421). Mais aussi de trouver la figure de réduction : *ne...que*. Le grand désir valéryen de tout mettre en figures lie alors l'une à l'autre algèbre et géométrie, comme un même domaine de la réduction. Valéry, on le sait depuis l' « Introduction » et le « Journal de bord », est fasciné par les figures qui se construisent à partir d'autres figures. C'est parce que les figures géométriques peuvent « *être contemplées dans leur décomposition infinie* » (II, 826) qu' « *il importe de décomposer la pensée en système DR. Là serait l'objet de la géométrie psychologique* » (III, 881). La géométrie est exemplaire, de renvoyer à une figure élémentaire : la *droite*. D'où le rêve de construire un « type " Réflexe " épuré » qui en serait l'équivalent : « *Toutes les définitions géométriques supposent la ligne droite [...]. Le réflexe est non moins fondamental. Il est le plus court chemin entre deux choses quelconques de la connaissance ou de l'existence. C'est un nom de la synthèse* » (II, 826). Plus court chemin : c'est la définition de la droite. Ce n'est pas à dire : linéarité. On sait que le chemin est image mécanique pour Valéry : chemin de forces. La droite elle-même est puissance de tracé, type de la moindre action dans l' « Introduction ». Aspect mécanique de la géométrie : les figures y sont des *opérations*. Droite et réflexe sont les unités de fonctionnement de leurs systèmes respectifs, comme l'élément de parenté pour le système anthropologique de Lévi-Strauss. La visée structurale est ici évidente. C'est sans doute pourquoi la linéarité cède si aisément à une structure plus apte à cette *composition* qu'évoque le mot *synthèse* : un dispositif fermé à plusieurs pôles — triangle de l'élément de parenté, cercle ou aller-retour de la DR. Système de circulation là, retour du système ici constituent ce qu'on pourrait appeler avec Valéry — à propos du système DR — des figures d' « élongation ». Les modèles mécaniques, petites machines parfaites, sont des exercices maîtrisés de l'écart. Leur distribution du potentiel présuppose un postulat d'inertie. L'imaginaire vital des flux est sans cesse guetté — si la machine s'arrête, si la force se perd — par la menace d'un autre imaginaire qu'on entrevoit aux points sensibles de béance ou d'arrêt du système (début et fin, moment de renversement) : celui de l'inertie fondamentale. Le modèle mécanique est avant tout proposé à l'économie des forces. Si bien que l'intervention métaphorique du cycle énergétique dans un autre discours que celui du physicien est habitée de tensions contraires : entre la croyance à un flux, courant, force que le système doit précisément couper, endiguer, distribuer mais aussi, en l'économisant, perpétuer — et la nostalgie ambiguë d'un primitif état immobile, stable inertie que tout le fonctionnement du système est chargé de ramener mais dont on lui demande aussi de pouvoir nous sortir. Machines du désir et pulsion de mort entretiennent ici des relations complexes. Le motif de la régulation, à la fois conservation et coupure, apparaît bien dans le contexte de première occurrence de la réponse, précisément dans la description des cycles de l' « inconscient ». On retrouve une dialectique semblable dans un texte sur le réflexe où le pouvoir de synthèse de l'unité DR apparaît comme rédimant la distribution différentielle des champs physiologiques : d'un côté le domaine des demandes — les espèces de la sensation avec leurs lois (Harmoniques) d'univers : univers de l'ouïe, de la vue... —, de l'autre celui des réponses — actes moteurs, fonctionnement spécifique des organes :

[...] quant à moi, je pense *fonctionnement* et si je tends à rejoindre toujours une notion fondamentale [...] c'est de préférence le type *Réflexe*, comme je me le suis défini — qui apparaît dans toute *action composée*, comme réciproque de la différenciation — organisée.

En gros, tout ce qui est *mental* doit se placer entre une demande et une réponse. *Demande*, c'est le domaine des sens organisés. *Réponse*, c'est l'affaire des moteurs et des glandes — — [...]   (C, XXIV, 613)

Face à la différenciation physiologique, à l'extériorite du corps, le mental est installé à la charnière du système DR, dans l'entre-deux de la demande et de la réponse. Ailleurs, le lieu intérieur de la synthèse se déplace dans une interprétation étrangement causaliste de la structure DR : le « *système nerveux* », « *entre le* corps [...] *et l'inconnu donne aux producteurs de l'esprit ses conditions propres* — D.R. *Son type, ses restrictions etc.* » (C, XIV, 676). Mais c'est électivement le Moi, comme pouvoir de suspension, geste de « recul » qui est destiné à occuper ce moment sensible de l'intervalle entre D et R : « *Le Moi est* l'acte de passage *de l'extranéité ou étrangeté d'une demande à l'extranéité ou étrangeté d'une réponse !* » (XXIV, 603). « *Le* Moi *est bien, comme je crois, un* recul — *et une propriété de tout système complexe de DR.* » (602, marge). Quand à la figure cyclique où vient s'inscrire la DR, elle apparaît bien dans ce passage :

Groupes d'opérations — possibilité de délimiter — de trouver un état initial et un final — le *final est identique à l'initial,* retour comme justification des opérations. Le livre est fini quand on se trouve comme naguère, *sans livre.*

Les opérations ne sont intelligibles et saisissables que par cette propriété. Appliquer ceci aux réflexes. L'inconscient comme illimité — donc insaisissable. On introduit par artifice — la conscience — la suite d'opérations dirigée et tendant à un état stable également final et initial.

Possibilité de l'abréviation par les groupes.

L'ordre, notation qui fixe un parcours d'opérations formant un ensemble complet, monodrome, et cyclique [...]   (C, III, 69)

L'opération « justifiée », c'est pour Valéry, comme pour Poe dans « Eurêka », celle du *retour.* La fermeture de la figure ne permet pas seulement la saisie de l'insaisissable (ici : l'inconscient), elle met entre parenthèses le mouvement en regard d'une stabilité

« également finale et initiale ». Prélevé sur cette inertie fondamentale, le cycle est comme un tour sur place. « *Tout cycle tend à se fermer* » (C, II, 456). Le « cyclique » est le « langage principal » de nos fonctions : c'est la « *tendance humaine à stabiliser* » (XII, 612).

> Cycles. Le cycle est l'ensemble de l'excitation et de la réponse. Il est fermé quand l'*être entier* — le système de systèmes distincts — se trouve après la réponse dans le même état qu'avant l'excitation (C, II, 431)

> Tout acte est un cycle moteur qui écarte une partie du corps [...] et se termine par le retour au même état [...] on néglige généralement, *en pensant acte,* le *retour* (C, XXIV, 4)

La demande *dérange* une inertie, la réponse annule ce dérangement. Quand la compensation n'est pas automatique, « réflexe » et insensible, le rôle de l'esprit est de la fournir. La sensibilité est ainsi « *l'*existence par événements » (C, IX, 627) et « *la connaissance serait la réponse à l'événement* [...] *tendant à annuler l'événement* ». Fonction vitale, car « *tout le "sérieux" et tout le tragique de la "vie"* [...] *sont caractérisés par la non-compensation* » (XV, 864). Dans cette visée d' « élimination généralisée », le rire et les larmes, infraction au code DR, ne sont qu'une énergie trop grande pour la voie « *d'annulation normale* » (XXIII, 602). Le cycle de la DR se rattache ainsi au désir obsédant d'annuler — égaler pour égaler à zéro — qui produit le Moi pur. L'équation « *D + R = 0* » (XIV, 720) ou « *D — R ≡ 0* » (XIII, 299) fait de la DR une image du moi pur :

> Ce « moi » Invariant est relation — et toutes les transformations d'un certain système reprennent la même forme.
> [...]
> Ce moi, il s'agit de trouver son équation — or elle est relation non continue [...]
> La plus simple relation est la DR. (C, XI, 243)

Si fort est le thème du retour qu'il prime la cohérence des définitions. Ignorant la cyclique fonctionnelle du réflexe, le DR psychique s'institue cycle contre la fiction d'un réflexe linéaire :

La vie réflexe ne comporte qu'un aller D.R. mais la vie psychique demande un échange — et le retour, la *récompense* est *conscience*, et est l'effet de la réponse première sur ce qui l'a émise.

Cette réponse revient au point même de la demande par la conscience, — ou bien n'y revient point, mais trouve tout changé à son retour.

Je [...] se reconnaît à ceci, que quoi que ce soit le fait se retourner *tout entier* et en tant qu'entier   (C. X. 128)

Si le réflexe est chemin, la conscience est « *comme une boucle sur un chemin* » (C, IV, 118). On sent ici l'autonomie de l'imaginaire scientifique : c'est un discours qui se décolle tout entier, avec ses figures, de son support occasionnel. Peu importe qu'il soit traité ici de l'esprit et là du corps. Mais il importe beaucoup qu'il soit parlé du cercle et de la sortie du cercle : problématique valéryenne par excellence, comme Ned Bastet l'a montré le premier. Dans la rêverie énergétique, la satisfaction du cycle revenant sur lui-même suscite aussitôt l'inquiétude de l'arrêt du système. Après la pulsion négative de retour à l'inertie première, le désir n'a de cesse qu'il n'annule l'annulation même. Le problème de la cyclose est toujours double : comment compenser parfaitement, revenir au point du repos et comment relancer le mouvement ? D'où l'hésitation entre ces textes où « $D - R$ » (ou « $E + R$ », (II, 456)) tantôt est égal à zéro, tantôt doit laisser un reste dont l'inégalité fasse repartir le système. Circuit fermé ou circulation ouverte ? « *On dirait que l'homme est un système énergétique tantôt conservatif et tantôt ouvert.* » (475). D'où la double définition de l'homme comme pouvoir d'annulation et comme son contraire. À un mode habituel — « *rendre* nulles *les impressions* » — s'oppose le pouvoir de « *les rendre* fortes *(ou* étranges *ou sans* issue, *ce qui est la même chose)* » (XII, 857). L'esprit conjure la mort du système en recréant la demande. La fonction d'adaptation croît en lui au point d'annuler l'adaptation (c'est-à-dire l'annulation). Tel est le besoin du « *nouveau* » (III, 525) : créer des occasions de s'adapter. L'homme « *ne peut demeurer satisfait* ». « *La '' conscience '' est l'opération qui tend à faire passer une réponse (d'origine non déclarée) — à l'état d'une demande, qui exige une réponse nouvelle.* » « *La pensée [...] tout entière située dans le domaine des*

125

réponses, *y forme des demandes secondaires* » (XIV, 30). L'esprit se définit ainsi par ce renversement des signes, cette propriété « *d'inversion DR — RD* » (XII, 555). — « *Qu'une* demande *puisse être une* réponse, *c'est l'esprit* » (XIV, 30) — qui est la véritable réciprocité : « *Il y a un type Réflexe — et un type : accommodation* […]. *Mais le premier se trouve dans le domaine — conscience — transformé. Le type Réflexe est dans un seul sens D → R. Dans l'esprit il est doublé. A → B et B → A existent. Cette réciprocité permet l'esprit, définit le monde ψ, monde des signes.* » (XII, 713).

Mais il ne s'agit pas seulement de survivre à l'achèvement de chaque cycle. Sinon la grande table de la géométrie, le tableau immobile des variations, le lexique des espaces, y suffirait, que surplombe un observateur central. La notion d'une réponse virtuelle généralisée joue la même opération que fera le moi pur dans la « Note et digression » quand il survivra aux vertiges et aux syncopes des diverses géométries comme « *système de degré plus élevé* » (I, 1225), « *groupe infini* » des figures, « *invariant* ». Dans le système DR il y a aussi une géométrie des géométries, dernier avatar du sujet souverain :

Le cerveau permet lorsqu'il est intéressé de répondre à une excitation non par spécialité — c'est-à-dire par une réponse uniforme — mais […] il permet de varier la réponse — car il dispose d'un domaine ou d'une diversité de moyens de réponse […]. Il construit virtuellement toutes les réponses dont il dispose à ce moment […]. Il répond par *n* réponses virtuelles — et il finit par une réponse à ces *n*, réponse réelle […]. Le choix, même restant intérieur, est un changement de système […]   (C, III, 324-5)

Réponse virtuelle, potentialité pure : on change de système comme avec le moi pur. Mais face à ces espaces rares de la généralité, la cyclose offre, elle, un gain à l'imaginaire. Elle permet de sentir fonctionner le système DR comme un corps-machine. Le « *cours naturel des choses* » (C, XXIV, 284), la « *transitivité DR* » me traverse — comme le langage ordinaire. La « *petite durée des intervalles dr* » les rend « *insensibles* ». Qu'un retard s'installe et, avec la boucle du DR comme avec les figures de rhétorique du langage, le flux prend une épaisseur de corps, j'appréhende ainsi un « *corps de l'esprit* » : « *Le* "Cours naturel des choses" *exige l'intensité propre de ce " corps ".* — *comparable à cette insensibilité propre de la plupart des actes normaux* ». Mais : « *Toute sensation ou perception qui ne reçoit pas sa réponse et qui persiste détermine une sensation du Corps de l'esprit et une modification, qui, l'une et l'autre, intéressent aussi le Mon-Corps.* » (XXV, 285). Tout le plaisir de la DR est dans la création d'une attente qui sera comblée : ainsi le problème des trois coups. L'expression : « *un coup n'attendait pas l'autre* » (XII, 453) constate au contraire l'insuffisance de l'intervalle nécessaire. Le rythme est précisément ce fonctionnement heureux de la cyclose où je fournis demande et réponse. Il me fait passer à « *l'état de* conservation sensible *d'énergie utilisable* [...]. *On vit plus sûrement, plus clairement, à moins de frais* ». « *Les coups* réponses *sont rendus* demandes *par leur suivant* », « *chaque coup provoque quelque chose et* [...] *le coup suivant répond comme un* réflexe ». Cet enchaînement infini de la provocation et de sa réponse, qui s'alimente lui-même, a ses exemples privilégiés dans l'acte amoureux, « acte complet » par excellence, et le système poétique, où « *le son répond au sens qu'il a excité* » (XXIV, 57). Tous deux appartiennent au « *domaine harmonique de l'être* [...] *domaine d'instabilité périodique où les excitations et les réponses se régénèrent l'une par l'autre* ». « *La* demande est redemandée » (XV, 24). « *La réponse de la demande est demande de la réponse première. A demande ce qui demande A* » (XXVIII, 388).

Mais tout le problème est de l'intervalle : trop petit, le plaisir de la DR ne peut naître ; trop grand, il crée le vertige. La surprise est ce temps de *coupure* entre demande et réponse qui « *fait percevoir le régime ou* cours naturel *comme l'obscurité la lumière et avec des effets oscillatoires analogues* » (C, XXIV, 410). Le retard se change en angoisse : « *Le temps long est sensation de la pression* [...] *de la gêne croissante des demandes que ce retard empêche de recevoir réponse* » (XVI, 804). Toute notre « fantasmagorie » se loge dans cet intervalle entre une demande et une réponse : la conscience, mais aussi le sentiment — « *quelque chose parfois étrangement placée* entre *la connaissance qui reçoit et celle qui répond* » (VI, 80). « *Toute l'histoire humaine se réduit à l'intervalle de tâton-*

*nements entre une demande et une réponse, un besoin et sa satis-
faction* » (229).

« *L'intervalle DR est le type* » de « *cette sensation d'accord ou
de désaccord — de* ce qui fournit *avec* ce qui exige » qui est
« *notre sensation du temps* » (XV, 888). Il a aussi son exemple privi-
légié : la confrontation au miroir. C'est bien sur cette référence
implicite que s'énonce la définition : « *L'intervalle DR — C'est
dans cet intervalle que la conscience et toute la fantasmagorie
psychique s'insèrent* [§] *Relais* [...]. » (XVIII, 23) puisque le texte lui
oppose immédiatement l'animal qui « *n'a pas d'image de soi-
même, ne se reconnaît pas dans le miroir* ». Le *réflexe* a la même
structure que la *réflexion*. L'un et l'autre me ramènent à moi. La
plupart du temps, ce retour est assez rapide pour sembler instantané et me donner l'illusion de ma propre présence à moi :
« *L'image d'un corps semble contemporaine du corps réfléchi* »
(VIII, 294) et « *l'échange égal des réponses aux demandes* » m'assure
de mon « *synchronisme* » (V, 214). Mais le présent n'est pas « *un
point* », il est « *représentable par l'image d'un* aller et retour »
dont le temps *cyclique* échappe au temps linéaire uniforme : « *Le
type réflexe — DR est le cadre à observer* » (XVII, 25-6). « *Le retour
de l'image à son objet par le miroir demande du temps* » (VIII, 843).
Cet écart dont le temps m'est insensible, car avec « *la lumière qui
vient de mon visage et y revient par le miroir* [...] *Tout se passe
comme si aucun temps n'existait* [...]. *Il y a une oscillation qui
devient assez rapide pour paraître une continuité* » (293), je le saisis
au niveau de la différence de la réponse, de son inégalité. Faite de
la partie au tout, la réponse du miroir déçoit, elle est toujours trop
petite :

Narcisse
La réponse du miroir à qui s'y mire, à l'inconnu qui s'y regarde — est
un Homme
La réponse du miroir au Tout est un élément / une partie / du Tout
(C, XI, 341)

C'est une réponse que je quête au miroir ou plutôt, c'est l'expérience vécue du miroir, le déficit de sa réciprocité, sa structure
scindée qui se projette dans la structure DR, dont l'écart est, sui-

vant les circonstances, insensible ou sensible. Le même vocabulaire d'événements définit les deux formes : la coupure et le retard, la surprise et ses oscillations :

> La surprise — éclaire merveilleusement ma nature. Elle me fait sentir directement l'oscillation entre présent et passé, — entre la matière et ma FIGURE [...].
> Perception d'un interstice généralement imperceptible entre DEMANDE ET RÉPONSE. Un éclair d'impuissance — une coupure. (*C*, V, 214)

La coupure du réveil reproduit jusque dans ses mots le modèle du miroir et de la DR. Le temps d'une surprise — au miroir, au réveil —, et je me découvre scindé en deux. Ma présence n'était qu'une réciprocité. Que le retour tarde, et je me perds :

> La réponse (à) une excitation, réflexe ou non, est retour à un certain point.
> L'*extérieur* est ce qui nous écarte, le Mon être, ce qui nous ramène. Il tend à revenir à soi [...]. Qui dort, s'égare. On meurt, de s'éloigner un peu trop. (*C*, VIII, 595)

Je ne suis totalité, complétude que dans ce mouvement du retour, du repli qui ramène vers moi quelque chose qui en est parti. Là est la « relation Moi » dont « *les écarts sont constitués par des élongations et des retours = Excitations, réponses* » (*C*, XVIII, 373). Je suis toujours demande, toujours tendu vers une réponse :

> Amour ? — N'y a-t-il pas dans cette tendance à l'acte très complexe à deux têtes [...] une excitation vers ce réel complet que presque tous les sens essaient de composer au moyen de X ?
> Et non seulement les sens, mais tout ce qui réclame réponse en nous — depuis le besoin du tendre jusqu'à l'appétit métaphysique. (*C*, XI, 808)

Le fonctionnement heureux du cycle entretenu de la DR (rythme, poème, coït) n'est que ce système d'auto-suffisance, d'enveloppement, analogue à l'enveloppement de l'enfant dans les linges du lit : le cycle est l'équivalent scientifique de la « petite maison ». C'est toujours se serrer à soi, comme il apparaît dans ce texte sur l'oscillation DR entre moi et moi, au réveil, au miroir, mais dont la formulation est beaucoup plus générale :

Recevoir ce qu'on émet, émettre ce qu'on reçoit [...]
Répondre à l'effet d'une chose par cette chose même. Former la chose
dont l'effet sera la demande. Voir que la chose nouvelle est la chose
ancienne. Que l'on pouvait émettre ce que l'on vient de recevoir.

(*C*, VIII, 293)

Cette anticipation de la réciprocité n'est si forte que par crainte de
la voir se dérober. Demande sans réponse, mais aussi réponse sans
demande et elle n'est pas moins angoissante. Ainsi de « *l'extrava-
gante réponse* » du rêve (*C*, XVI, 78). « *Tout rêve est réponse à une
excitation dont la connaissance nous est* interdite » (VI, 433). De
même le réveil : « *un commencement vient comme réponse à
quelque incitation cachée* ». Mais l'instabilité est telle que, dans
les deux cas, la même formule de substitution reparaît : « *Sa
réponse est une demande* » (pour le rêve), « *apparition par voie de
réponse d'un élément ou d'un être capable de former demande* »
(pour l'éveil).

Cette réponse qui ne connaît rien de sa demande n'est pas une
vraie réponse pleine, clôturante. Elle n'élimine pas, elle est elle-
même trouée de demande, elle rouvre le jeu d'une chaîne infinie
de DR. La « réponse seule » renvoie ainsi à l'hypothèque d'une
demande « cachée », « interdite », antériorité fondatrice impossible à atteindre. Quelle question ne pose pas cette situation de
l'homme au plan de la réponse seule, plan d'une image sans sujet,
effet d'une pure extériorité : « *Nous ne nous connaissons qu'à
l'état de réponse. Ce sont nos réponses que nous appelons
Nous* », dit le Discours du Daîmon. Nous sommes le second
temps d'un système DR que déclanchent... les circonstances.
« *Mais nous sans demandes, moi sans les circonstances qui me
forcent à me manifester — c'est un inconnu — ou un mythe — qui
est l'être sans circonstances* » (*C*,X, 782).

Tout le problème est donc de la demande. Demande sur laquelle
l'homme n'a aucun regard, même quand il se sent habité par elle.
Qu'elle ne trouve pas sa réponse, cela est peut-être joué, dès le
début, au niveau même du système. C'est ce que Valéry appelle
« *la partie sauvage de l'organisme* », notre *« tragique » :
« *l'Inégalité : Sensibilité > que toute réponse* » (*C*, XIII, 167). Notre

sensibilité n'est pas organisée pour « *composer* », « *éliminer* », « *annuler* » (XXIII, 528). Telle est notre inadaptation fondamentale. Ce qui demande en nous (sensibilité, connaissance) est « *plus grand* » que toute réponse (VII, 716). C'est par définition que la réponse est insuffisante. Le creux du système apparaît bien dans ces expressions qui élident l'énoncé du mot demande : « *tout ce qui n'a pas de réponse* » (VI, 57), « *tout ce qui réclame réponse en nous* » (XI, 808), « *ce qu'attend éternellement ce qui est caché et ignoré* » (XII, 740). On voit revenir pour la demande sans réponse la même signification que pour la réponse sans demande : la demande *cachée*, soit qu'on ignore ce qu'elle demande, soit qu'on ignore d'où elle demande. Ce mystère fait le caractère infini de la demande. C'est parce que « *la* demande est *à l'*infini » (X, 731), que la seule réponse serait la *réponse-à-tout* : Dieu ou l'univers. « *Il n'y a qu'un petit nombre de réponses réelles, qui répondent à tout. L'univers est compris sous le signe R..* » (V, 143). Dieu est l' « *asymétrique* » du système DR : il « *répond sans demander* » (X, 731) et clôt ainsi la chaîne des réponses qui se changent en demandes. Valéry se définit lui-même comme le chercheur ou le trouveur de réponses : inlassablement il *nomme* réponse :

Intelligent ? — Non. Nerveux — nerveux.
Tout réflexes. Il sent de cette façon. Tellement que le Monde, tout le réel, toutes choses, il le sent [...] en réponses.   (*C,*V, 143)

C'est dire qu'il s'identifie au fonctionnement d'une sorte d'appel absolu, non déclaré, préalable. Machine à produire ou à lire des réponses, parce que hanté par la demande. La jeune fille du rêve, rencontre enfin de « *ce qu'attend éternellement ce qui est caché et ignoré* » (*C*, VIII, 547), la Divine Mélancolie, représentable par un « *jeune être* [...] *chargé du soin de* ce qui n'a pas été, *de* ce qui n'a pas pu être — *de tout ce qui gonfle le cœur de larmes,* [...] —, *d'une tendresse sans réponse* » disent bien ce sentiment d'un déficit ontologique (« *thème de l'impuissance divine* », « *tromperie du monde créé* »), comme son enracinement dans un vécu matriciel et, par l'interprétation répétée de la demande en *demande d'amour* — « *Tout ce qui réclame* réponse en nous — depuis le

131

besoin du tendre jusqu'à l'appétit métaphysique », « une *tendresse sans réponse* » —, rejoignent le désir de « *se serrer contre une mère intérieure* ». Demande du tout et, par là même, inassignable à aucun objet, puisqu'elle inscrit le sujet dans un fantasme de mutilation, comme le montre le texte, étonnant dans ses analogies, qui situe la perception du rythme au moment où « *une dépendance se crée en moi* » entre les éléments ordonnés d'une suite, « *telle qu'une partie des éléments donne le tout, formant une sorte de demande à laquelle* répond *le reste* » :

De sorte que, de l'ensemble — il faut que tout soit fourni ; soit par réception, soit par production, peu importe. Peu importe qui paye, pourvu que le paiement soit fait. Le tout est donc indivisible une fois saisi. Il est divisible artificiellement, physiquement ; il ne l'est plus, fonctionnellement. Je suis incapable de ne pas l'achever même quand je suis incapable de l'achever. — Je sens l'incomplet même quand j'ai perdu en moi de quoi le compléter. Il y a donc comme indépendance entre la sensibilité de la liaison et l'existence ou continuité de la liaison. Le membre amputé fait souffrir. (*C,* V, 500)

Naissance de la demande : un objet partiel (groupe de sons, membre amputé) fonctionne en projetant un corps total dont la demande en lui passe la possibilité de réponse. C'est par rapport au fantôme de la totalité que se définit la demande, non par rapport à l'exercice possible de la réponse. Le tout de la demande « ne se divise pas ». Le sujet, si : éternel débiteur, imaginaire mutilé ; à ne « fonctionner » que sur le plan de la totalité, il est à jamais l'incomplet du système DR, d'une demande dont la réponse n'est pas la mesure, mais la simple circonstance.

Dans ce jeu indépassable de la demande et réponse, le Système vient occuper la place prévue : qu'est-il, sinon la nécessaire réponse qui vient clôturer l'imprésentable ? On connaît la scène où Valéry, interrogeant une jeune femme qui s'est fait psychanalyser, raconte à son tour qu'il s'est lui-même délivré de ses démons en 1891, 1920, 1932 par « *un autre genre d'analyse et d'autoreprésentation du système* ψ » : « *ma solution consiste à phénoménaliser tout le psychisme et à chercher à lui trouver — (ou à lui donner) — la* réponse, *(au plus tôt)* qu'il est un système fermé […]. »

(*C*, XX, 383). En soulignant, Valéry déchiffre lui-même : la réponse, c'est le système, le système comme fermé et fermant. Le système a réponse à tout. Mais réponse qui réprime : il ne comble pas la demande, il ferme la bouche, mue le désordre en ordre, en système uniforme. Car la raison du système DR se lit peut-être, comme l'écriture léonardienne dans le miroir, par analogie renversée, dans cette interprétation de notre fonctionnement naturel : là où il est dit que les « *sentiments suggèrent* » un désordre et que « *ce désordre rompt l'ordre croissant, la croissance de la correspondance uniforme qui tend à étendre à tout l'être la structure systématique réflexe* », lisons que l'entreprise valéryenne, contre les ruptures du sentiment, « *tend à étendre* »... — Le système de la Demande et Réponse s'instaure pour clôturer le lieu de la demande et pour évacuer la réponse. La réponse du système a à voir avec l'inconscient. Ce n'est pas par hasard que son énoncé se formule à plusieurs reprises dans le contexte d'une « hypothèse » de l'inconscient déclarée irrecevable et que la DR a charge de forclore. La réponse substituée permet seule d'entendre enfin la question :

[...] tout à coup je pense en plein à l'*inconscient* [...]. J'ai toujours écarté l'inconscient de mes réflexions. Moyen trop commode [...] pensais-je, mais je me demande — ou plutôt *je me réponds maintenant* que peut-être il y aurait quelque chose à faire de cette défaite.
    Construire l'inconscient [...] substituer sciemment et artificiellement aux parties inconnues, « inconscientes » que nous supposons [...] une suite comme *consciente* [...]   (*C*, VIII, 419-20)

La révolution « einsteinienne » qui impose « *la structure réelle des actes mentaux* » (*C*, VII, 870), c'est-à-dire les « *conditions DR de la suite des substitutions psychiques* » veut rendre caduc le rôle que « *l'Inconscient, et aussi le physique, jouent très vaguement dans l'opinion actuelle* » : « *celui d'un éther-Maxwell qui lie et explique tout ce que l'on veut.* [§] *Cette chose cachée et demandée par tant d'autres choses doit être délimitée, — conditionnée, — pourchassée.* »
    Pourchassée : comme l'erreur, la notion idéologique du Vrai et

du Faux déconstruite par la logique moderne (c'est l'exemple donné par Valéry dans ce même texte) — ou comme la trace et le frémissement du sauvage en nous : « *La partie sauvage de l'univers existe...* » (XIII, 167).

PAUL VALÉRY, NÉO-POSITIVISTE?

par Simon Lantiéri

Tout d'abord la légitimité de l'emploi du mot *néo-positi-viste...* Il ne peut indiquer ici qu'une attitude mentale commune à Valéry et à certains néo-positivistes de l'école de Vienne et non, bien entendu, l'appartenance historiquement déterminée et parfaitement repérable de Valéry à l'école néo-positiviste ou plutôt au groupe, au cercle néo-positiviste, car il s'agit d'un cercle, « Wiener-Kreis », et non d'une école. De plus — et il convient de le souligner d'entrée de jeu — la formation des attaques ou des réserves de Valéry à l'endroit des mécanismes de la pensée philosophique et des prétentions de cette pensée à atteindre le « vrai », a été antérieure, à de très nombreux égards, à la traduction des ouvrages des fondateurs du néo-positivisme, Schlick, Reichenbach, Enriquès, Carnap etc. par le général Vouillemin (collection Hermann). Ces traductions qui se sont développées sur une douzaine d'années (1928-1940 environ), ont pu être consultées par Valéry, mais, d'une part, la mise en place de la typologie des expériences du langage avec leur conceptualisation et les définitions de leur statut dans la systématisation esquissée par toute l'œuvre valéryenne dans les *Cahiers* est antérieure aux traductions du général Vouillemin et, d'autre part, aux « rubriques » « Philosophie », « Langage », « Système », « Ego », Valéry ne fait pas d'allusion aux thèses et aux thèmes du néo-positivisme sur les rapports du Langage et de la philosophie, sur la constitution de la

135

philosophie par son langage et sur « l'émergence » de la métaphysique à partir même de la méconnaissance du langage qui fut et qui reste le sien. C'est donc sur ce point, comme sur de nombreux autres, que nos analyses s'efforceront de faire apparaître dans leur ordre systématique et non dans l'ordre de leur apparition chronologique, des phénomènes de convergence encore que les présupposés valéryens restent bien différents des présupposés positivistes et que leurs points de départ concernent des domaines fort variés. Disons que pour Valéry l'expérience qui nous semble vraiment déterminante a toujours été *l'expérience* des langages et dans cette expérience celle de *l'engagement* des mots dans la *production* d'une connaissance ou d'une jouissance — ce que manque peut-être la philosophie, au moins en tant qu'elle se veut et se détermine comme connaissance ; tandis que, pour le néo-positivisme, le seul modèle des énoncés de la science et des protocoles qui sont impliqués dans le processus de vérification indéfinie de l'accord entre un système de notions et des séries correspondantes d'expériences, est invoqué et utilisé pour démontrer le caractère de « non-signification » des mots par lesquels les concepts de la philosophie entendent traduire une ou plusieurs expériences — toutes intérieures généralement. Disons que Valéry développe ses critiques adressées à la métaphysique à partir d'un déploiement qui est, à la fin, très systématique, d'une typologie des langages fondée tout d'abord sur une exploration des possibilités hédoniques, gnoséologiques, pragmatiques, pratiques, opératoires, contenues dans l'usage des mots et des structures phoniques, sémantiques et syntaxiques dans lesquelles ils fonctionnent. De sorte que si tout néo-positiviste — ne parlons pas ici de Wittgenstein qui n'appartient pas, en fait, au cercle de Vienne, même s'il en inspira les thèses essentielles — établit sa recherche dans la référence permanente aux thèmes de la rigueur catégorique des énoncés de la science — physicalisme de l'école de Vienne —, Valéry, lui, déploie l'ensemble des assertions — assertions qui n'ont que l'apparence de l'aphorisme, des philosophies aphoristiques dont l'aspect éclaté et contradictoire lui sont étranger. Éloignement de Valéry de philosophes comme Héraclite ou comme

Nietzsche — dans un édifice où aucun des ordres du langage n'est oublié.

À ces premières distinctions qui importeront pour la suite de notre analyse il faut ajouter que les rapports de « convergence », les « analogies » — encore que nous n'utilisions ce mot, ici, qu'avec une certaine répugnance — sont plus évidentes et plus nombreuses entre Valéry et Wittgenstein qu'entre Valéry et le cercle de Vienne. Les raisons en sont simples et tout à fait fondamentales : Wittgenstein et Valéry ne se proposent pas de déterminer les conditions d'élimination systématique des propositions de la philosophie en montrant pour quelles raisons elles restent étrangères à la validité sémantique et expérimentale des protocoles, qui, dans les sciences mathématiques et dans les disciplines expérimentales, instituent les conditions même de saisie du vrai. Au fond ils ne cherchent pas une science des moyens d'élimination de la philosophie ; plus subtilement ils entendent démonter, et ceci est commun à Valéry et à Wittgenstein, les mécanismes linguistiques de production des « philosophèmes », mais cette entreprise n'est point vécue et conçue comme un moment à oublier, une étape à dépasser, pour s'installer ailleurs, dans la science, le repos, le loisir ou le jeu ; il y a même comme une fascination que la philosophie continue indéfiniment à exercer sur eux, et même plus, la philosophie et, si l'on peut dire, leur philosophie se confond avec cette espèce de corps à corps avec les mécanismes qui la produisent, cette interrogation, ce recommencement, cette attitude qui consiste à reposer indéfiniment le même problème et les mêmes questions. Sans doute faut-il dire que l'effectuation de la critique, sa reprise réitérée quasi quotidiennement se confondent avec un itinéraire personnel ; aucune proposition ne peut se détacher d'une efficacité qui ne s'applique pas à l'objet, mais réellement au sujet. En bref ce traitement thérapeutique, cette automédication, s'ils peuvent ultérieurement être appliqués à autrui, concernent d'abord Valéry et Wittgenstein eux-mêmes, et ils créent, paradoxalement, les conditions d'une sorte de resurgissement indéfini de l'interrogation initiale, comme si l'examen des systèmes philosophiques et des propositions qu'ils produisent engendrait une espèce de fascination, une sorte de frayage, une manière d'automatisme dont le questionneur ne pourrait plus désormais se séparer. La thérapeutique anti-philosophique est, elle-même, une philosophie, les exemples historiques célèbres abondent ici. Qui pourrait s'empêcher de penser à Descartes qui veut en finir avec la philosophie, entendons la forme décomposée de l'Aristotélisme à travers la philosophie de « l'École », et, plus nettement encore, à Socrate si le socratisme, comme attitude — mais a-t-il été psychologiquement et historiquement autre chose ?... —, est dans ce recommencement quotidien de la question qui s'attache à détruire les faux savoirs et peut-être même, quelquefois, à détruire la conviction qu'un savoir est possible, à ruiner le système des conditions établies grâce auxquelles on pense qu'un savoir est possible. Dans cette interrogation, et, seulement en elle, s'établit le philosophe, saisi par une pensée qui se nourrit en quelque sorte de la capacité de recommencement quotidien sur des bases quasi nulles, sans même pouvoir prendre appui sur le souvenir et les acquis des résultats de la veille, comme si les songes et les avatars de la nuit avaient effacé toute trace, toute « installation », tout avoir. Neuf, naïf, innocent, habité par la seule capacité de questionnement critique, ainsi naît chaque matin le philosophe. Abandonné par tous les dogmatiques, suspect à tous les pouvoirs, la passion qui le constitue dans son essence ne produit en lui qu'un seul miracle : que se révèle intacte, tous les jours, cette incapacité à croire et ce refus entêté de prendre des habitudes pour des pensées... Socrate va vers les hommes démuni de toute doctrine, riche d'une seule méthode qui n'est jamais universalisable [1]. Cette possibilité d'universalisation créera lentement la faculté, pour le platonisme, de se poser en doctrine, ou plutôt de poser sa transformation en doctrine. La parole de Socrate dans la mesure où elle ne se fixe pas dans le texte écrit, garde la possibilité de déconstruire ou de dissoudre les conclusions de la veille. La reprise du discours dans la dimension de l'ironie (mais l'ironie de Socrate n'est qu'une sorte d'interrogation) suppose que rien ne soit solidifié dans le moindre dogmatisme. La parole dissout sa trace dans sa réeffectuation. S'il y a une antériorité fixe de la chose écrite, il n'y a pas d'antériorité logique de la parole à sa propre anticipation dans un discours déjà effectué. L'ironie implique la dissolution du déjà dit, elle est puissance nue sans passé. Elle se détruirait en son essence et en ses manifestations si elle admettait sa cristallisation en une évidence ou une consistance. .

Cette ironie socratique entraîne même — comme l'indiquait Maurice Merleau-Ponty dans *Sens et non-sens* — que Socrate devant ses juges renonce à leur faire partager l'universalité de propositions, à leur demander de participer à une « prétendue » rationalité de l'éthique, cette ironie détermine, ou si l'on préfère entraîne une sorte de jouissance solitaire du vrai (de sa vérité) puisqu'il devient évident que Socrate préfère renoncer à convaincre, ou à démontrer. La mort de Socrate est donc le drame de l'ironie vécue comme « maladie jusqu'à la mort » — Wittgenstein reprend, sans fin, une interrogation dont la discontinuité parfois apparente correspond au mouvement même de sa conscience et de sa vie ; là aussi, nous sommes devant cet élément de « puissance nue » à laquelle nous faisions allusion. On s'est souvent demandé à quelle tradition, à quelle école philosophique s'était alimentée la spéculation du jeune Wittgenstein pendant l'élaboration des thèmes fondamentaux du *Tractatus*. Sa formation d'ingénieur gêne un peu, car les matières philosophiques n'y figurent point. En fait cependant le jeune Ludwig appartenait à cette haute société viennoise où les influences philosophiques étaient diffuses mais constantes. L'idéalisme néo-kantien n'y était point inconnu, bien au contraire. On sait que Wittgenstein eut très tôt des contacts avec la psychanalyse naissante, même si cette discipline devait faire chez lui l'objet de réserves et de critiques constantes — dans les carnets bleus et dans les carnets bruns par exemple, ainsi que dans quelques notes des investigations —, critiques qui rappellent ou permettent d'évoquer, très pertinemment, semble-t-il, les critiques que formulera pour sa part Valéry. Elles gravitent souvent autour du thème de la « reconstruction » par la psychanalyse, dans les structures de l'inconscient, de pensées, de réseaux, d'inférences qui sont « *actuellement* » produits par l'esprit conscient. De sorte que tout contrôle devient, en quelque sorte, impossible — la reconstruction n'étant, en aucune mesure, une observation. On sait que les contacts que Wittgenstein eut avec le jeune philosophe Weininger étaient fréquents. Le philosophe largement nourri de Schopenhauer et de Nietzsche, nietzschéen, tragiquement et désespérément, devait écrire à 22 ans une œuvre originale, passionnée, pleine d'outrances, pour certains même quasi blasphématoire, d'une misogynie qui essaie de trouver ses fondements et ses justifications dans l'« anthropologie », de Kant et la critique de Nietzsche. Cette œuvre *Sexe et caractère*, forme outrée et comme dévoyée d'une philosophie différentielle des sexes, a été récemment traduite en français. Wittgenstein la connaissait et il fut parmi d'autres amis un de ceux qui accompagnèrent Weininger au cimetière, ce jeune philosophe s'étant donné la mort alors qu'il avait à peine 23 ans.

Bien entendu on ne peut passer sous silence la rencontre par Wittgenstein de Russell et de Moore. Mais là encore s'il y eut convergence entre l'empirisme logique déjà solidement inscrit dans l'œuvre de Russell et de Whitehead et la philosophie du *Tractatus*, il semble bien que la problématique de Wittgenstein ait été élaborée par un de ces traits de génie qui rend les véritables créateurs relativement indépendants des écoles et des influences.

Certes lorsqu'il s'agit de Valéry on ne peut éviter d'être tenté dans le rapprochement avec Wittgenstein — nous disons bien, Wittgenstein, et non le cercle de Vienne dans sa structure achevée et constituée — d'évoquer une commune « philosophie d'ingénieur ». Wittgenstein fut ingénieur et architecte lui-même avant de s'inscrire dans le destin d'un philosophe et d'un logicien, Valéry longtemps penché sur des problèmes d'analyse mathématique ne connut pas la philosophie dans la forme des doctrines et des systèmes à l'intérieur desquels se fussent formées sa propre pensée et sa méthode de questionnement. Cela importe pour nous car nous pensons que la position des problèmes, la formulation des questions, l'ensemble représenté par les grilles d'un appareil conceptuel déterminé se constituent au sein d'un langage, d'une tradition, d'un horizon intellectuel dont, finalement, le penseur ne se sépare jamais tout à fait, et qui est l'armature essentielle de son

140

analyse et de ses investigations. Or, il semble que, même si les détails et la littéralité changent et sont même, quelquefois, fort différents, la manière dont se fait la présentation de « la philosophie » ou si l'on préfère « la métaphysique » chez Wittgenstein et Valéry, obéit à une structure *analogue*. Le mot *philosophie d'ingénieur* ne doit pas ici porter à confusion. Utilisée par exemple par Laberthomière à propos de Descartes [2], cette expression désigne pour nous, ici, un contenu tout différent. Chez Wittgenstein et Valéry la philosophie et ses problèmes sont l'objet d'une sorte de repérage qui procède d'un « balisage » préparatoire — « balisage » qui, non par ses éléments mais par sa structure, reste analogue chez l'un et chez l'autre. Les balises : le caractère fonctionnel et opératoire des notions mathématiques et des concepts de la physique, et, chez Valéry plus spécifiquement, la mise en évidence de la « fonctionnalité », d'un tout autre type, il est vrai, du langage de la poésie qui opère dans son ordre, sans en masquer l'essence — comme c'est le cas chez le philosophe dont les figures de Discours croient atteindre la « vérité » alors qu'elles ne produisent, elles aussi, que des émotions ou des jouissances d'ordre esthétique. De ces « *étonnantes constructions* » il ne « *reste absolument rien* », s'il n'en reste des œuvres d'art (« Léonard et les philosophes », I, 1250). Si ce balisage s'accomplit en fonction d'une « dépréciation » constante des formules de la philosophie à partir du jeu comparatif ordonné autour des modèles de vérité et de vérification constitués par les disciplines exactes, il opère aussi à partir d'un autre critère qui est, ici, très nettement, chez Valéry comme chez Wittgenstein, le critère sémantique, sans que la notation de sens fasse toujours l'objet d'une recherche plus déterminée. Sans doute de nombreuses formules chez Valéry tendraient-elles à faire penser que le sémantique est finalement tout entier constitué par trois déterminations fondamentales jouant un rôle approprié et variable en fonction de la nature des objets venant se présenter à l'expérience et à sa conceptualisation — Valéry dirait plutôt intellectualisation — progressive. La première de ces déterminations est celle de la fonctionnalité mathématique : un être n'est pas défini par une essence solitaire, indépendante, autonome, ce que d'anciens auteurs ont appelé sa substance — songer ici à la position aristotélicienne du problème puisque la substance peut recevoir les prédicats mais ne peut à son tour être prédiquée — mais par ses relations avec les autres êtres d'un ensemble systématique, sa fonction dans cet ensemble, ce qui permet, immédiatement, de situer à quelle échelle on désire l'utiliser, à quelle échelle on se place. Ici les remarques de Valéry — elles sont extrêmement nombreuses tout au long des *Cahiers* I et II — sont dans un ordre qui a été défini et exploré par Russell, Whitehead, et qui a été systématisé dans l'ensemble des procédés de la logistique contemporaine.

La fonctionnalité peut être aussi expérimentale ; ici, les fonctions des éléments dans un ensemble ne seront plus définies *a priori* à partir des critères de compatibilité (identité, non contradiction), d'indépendance et de saturation des principes qui en assurent à la fois l'existence et le fonctionnement, mais par la vérification ou la vérifiabilité progressive des faits auxquels répondent les notions dont les éléments sont exprimables mathématiquement en des équations qui n'expriment pas des états mais des variations entre des variables dont l'évaluation est déterminée. Or l'ensemble des variables dans des fonctions précises permet de comprendre pourquoi la philosophie naïvement, grossièrement, dans son état de primitivité n'a pas réussi à exprimer la valeur d'échelle à laquelle toute utilisation notionnelle est contrainte. Dans une page des *Cahiers*, Valéry écrit :

Vraie philosophie

Pas de recherche plus importante à présent que celle d'un instrument logique ou de représentations qui — permettraient à l'attention (au point sensible de l'attentif) de se mouvoir à travers les ordres de grandeur, ou les ordres de choix — (p[ar] ex[emple]) l'ensemble des n[ombres] 1ers — d'enchaîner les échelles ou de les organiser en substitutions non accidentelles.

Car la philosophie etc. se perd dans ces confrontations et le langage est tout à fait infidèle sur ce point. Ainsi *arbre* ne dit pas à quelle échelle cet *arbre* est pris. Le rêve est un cas très important — où l'on voit des propositions-veille traduire ce qui appartient à un tout autre monde ou système. (C'est pourquoi une analyse comparée du rêve et de l'attention est chose capitale.)

Il est d'ailleurs très frappant de voir la connaissance confondre ces choses, et cette confusion est le secret des antinomies, des inextricables, p[ar] ex[emple] la liberté.. Quand on dit que l'homo est libre et qu'on lui oppose qu'il ne l'est pas — on ne distingue pas entre deux sujets différents — dont le passage de l'un à l'autre n'est pas défini ni considéré.

La logique se borne à relever la contradiction mais ne *porte pas son effort sur l'origine de la contradiction*. Elle vient cependant de quelque chose — qui est l'emploi d'un seul et même instrument quand il en faudrait *n*.

De même les questions sur le mouvement.

L'erreur est une notion grossière. (*C*, X, 889-90 ; *CI*, 609-10)

Et Valéry poursuit dans une note suivante :

Explication. Explication, cause, — mots nés dans des circonstances limitées — pratiques — pour signifier ce qui est *suffisant* pour aller outre. Puis enflés à l'infini. (*C*, X, 907 ; *CI*, 610)

La logique dont Valéry souligne, ici, les insuffisances a cependant indiqué l'importance qu'il y avait à posséder une échelle et à fixer « les ordres » dans lesquels les mots sont utilisés. Preuve supplémentaire apportée, si besoin était, à nos allégations précédentes, la création par Russell par exemple de cette logique *des ordres* qui doit mettre fin à l'ambiguïté de la plurivocité du sens des mots engagés dans des protocoles dont les visées sont fondamentalement différentes. Or, si Valéry ne fait pas la moindre allusion aux logiques de Whitehead, de Russell ou de Frege c'est, manifestement, qu'il en ignorait la création. Preuve, aussi, que la convergence des critiques au langage commun par les uns et par les autres atteste une réelle indépendance des problématiques, même si chez Valéry la formulation de critiques, l'identification très pertinente des erreurs et surtout du mécanisme des erreurs, la parfaite détermination de cette logique des « échelles » ou des ordres restent essentiellement intuitives, ne se développant pas systématiquement en ces méthodes universalisables que devait devenir la logique des ordres, bien évidemment de Russell, et, plus tard, chez Carnap l'ensemble des procédés qui sous les dispositions générales de la *sémantique*, seraient effectivement proposés comme *syntaxe logique du langage*. Or on sait que cette syntaxe logique ne tient toutes ses promesses que grâce aux distinctions préalables établies par Carnap entre le syntaxique, le sémantique, le pragmatique, l' « hédonistique » sur quoi peut se détacher la formalisation méthodique des figures fondamentales de la syntaxe logique de la langue dont l'un des buts est précisément de corriger les distorsions et les erreurs de la syntaxe grammaticale qui viennent s'ajouter à l'ensemble des méprises, d'ordre purement sémantique, celles-là, que comporte, nécessairement, l'utilisation d'une langue. Or il nous plaît de souligner là encore, et, sans qu'aucun problème de rapport direct, ou d'influence, puisse être signalé entre Valéry et certains positivistes, Carnap en particulier, la mise en place des fonctions du langage, la détermination de leurs statuts, et de la « nature » de l'espace dans lequel ils se déploient. Mais cette identification de la diversité des fonctions du langage aura sa racine dans la diversité des expériences en lesquelles Valéry est bien profondément engagé. Ce qui nous conduira plus loin à dire que Valéry découvre une véritable fonction ontologique du langage-poésie, la poésie pouvant être définie finalement comme une ontologie du « corps » et supposant un sens, un enracinement dans des structures vécues et éprouvées ailleurs que dans l'émergence et l'apparition, relativement tardive, du rôle de « l'intellect ». Aussi l'autonomie des découvertes valéryennes vient cependant consonner avec l'analogie des propositions développées et formalisées par les tenants du néo-positivisme. Si l'on voulait cependant déceler quelles influences proprement philosophiques Valéry a réellement et historiquement connues, il faudrait sans nul doute rappeler combien fut centrale la figure de Descartes et, plus subtilement, les textes et les œuvres, peu connues ailleurs et par d'autres, des idéologues français. Le primat de l'analyse et de la décomposition fut premier chez eux, Valéry en hérita de l'esprit. Et d'ailleurs l'analyse ici n'est pas simplement inventaire numérique des éléments mais reconstitution des ordres hiérarchisés et systématisés dans lesquels ces éléments se distribuent.

Si Descartes joue le rôle d'une figure centrale c'est qu'il possède, paradoxalement, deux attributs et même deux fonctions que souligne Valéry en d'autres lieux, en d'autres textes, où, bien entendu, Descartes n'est même plus évoqué. D'une part il est l'auteur d'un système où les notions utilisées ont les travers essentiels des concepts de la métaphysique — non fonctionnalité, caractère non opératoire, inefficacité, flou analogique, absence totale de la notion d'ordre ou d'échelle, et surtout absence d'application des critères sémantiques dont Valéry retrouve intuitivement l'importance, alors que de leur côté les néo-positivistes en codifient la formalisation. Mais, d'autre part, cette philosophie reçoit pour la première fois, sans doute, dans l'histoire de la philosophie occidentale *une forme*, en laquelle Valéry ne peut pas ne pas reconnaître sa « forme » même plus exactement la structure d'un système où toutes les connaissances seraient construites, développées, déterminées, organisées hiérarchiquement comme des manifestations de l' « ego », ses variations, si l'on peut dire, intensivement et qualitativement appréciées. Une science générale de tous les êtres, de tous les objets, de tous les états du monde dont le seul et unique principe serait l'ego, le moi pensant — le moi « pur » dans la terminologie valéryenne jouant le rôle du moi cartésien, épuré de ses passions, ayant expulsé de lui tous les états du corps, ayant chassé les rêves de l'inconscient, et détaché de la sphère de son savoir et de son autorité tout état dont il n'aurait pas, instantanément, si je puis dire, le contrôle actuel. L'insularité royale d'un tel sujet qui fait frôler à Descartes comme à Valéry l'écueil du « solipsisme » coïncide avec l'idée d'une science dont la perfection repose évidemment sur une ascèse, la mise en place d'un système cathartique, la formation d'une sorte de surhomme, le dessin « fantastique » d'un savoir tout entier tiré du sujet. Projet qui évoque aussi, mais de tout autre façon, à la fois la discipline de M. Teste et les constructions mentales d'un Léonard de Vinci. Figures valéryennes déjà ou, encore, réactualisées sans cesse dans la reprise indéfinie de la meilleure définition possible de soi. Ainsi par son intention, ou du moins l'intention que Valéry lui prête, le projet cartésien est un projet valorisé par sa superposabilité possible au projet valéryen — mais par ailleurs les rapports sémantiques des états du sujet cartésien aux termes que lui propose la tradition philosophique, l'impossibilité dans laquelle il est « d'épurer » son langage et de le soumettre aux critères de vérifiabilité sémantique, fonctionnelle et expérimentale, ne pouvaient finalement qu'éloigner Valéry de la totalité du projet.

Par là se dessine le vrai système des exigences valéryennes, elles sont, dirait-on, d'ordre sémantique : il faut « traiter » la philosophie par son langage et ainsi la soumettre à un ensemble d'exigences où le projet valéryen, dans ses composantes « néo-positivistes », apparaîtra beaucoup mieux et où toutes les *expériences* du langage recevront un statut et une conceptualisation qui, au terme de cette quête, ne nous permettront pas autant qu'on aurait pu le croire de réellement désespérer ; il est un langage qui enveloppe une véritable ontologie du corps : celui de la poésie.

Ainsi toute la « philosophie » de Valéry est-elle traversée, d'une manière qui serait, finalement, assez aisément systématisable, par une finalité fondamentale, celle du statut de *l'expression*, l'expression renvoyant elle-même à sa fonction essentielle : celle de rendre intelligible le triple rapport de l'homme à lui-même. Je veux dire de l'ego à l'ensemble des déterminations de sa conscience : rapport que Valéry considère comme l'objet même de la philosophie, même si *sa* philosophie doit exprimer les plus sérieuses réserves sur la réussite de *la* philosophie, dont les échecs sont au moins imputables à la méconnaissance du fonctionnement des mécanismes de son langage propre et à l'impossibilité dans laquelle elle s'est trouvée jusqu'ici de se constituer un langage propre. Cette deuxième infériorité reste d'ailleurs évoquée comme une constatation suivie d'allégations que Valéry tient lui-même pour nettement hypothétiques. La création par la philosophie d'un nouveau langage — le langage philosophique — est peut-être souhaitée, mais rendue, sans doute, impossible à partir même des présupposés de la pensée valéryenne, à savoir que le sens, l'ensemble du procès sémantique, se constitue dans la dépendance du pragmatique ou plutôt de la vérifiabilité expérimentale. Le formalisme de Valéry jouant un rôle définitivement subordonné au primat du fonctionnel. Lorsque Valéry veut montrer par où doit passer le langage du philosophe pour atteindre sa spécificité et sa rigueur, c'est aux modèles de constitution de la science même qu'il en vient très vite, son fonctionalisme, son anti-substantialisme, son nominalisme apparaissent très vite. Voulant parler des protocoles méthodologiques qu'il adopterait pour l'élaboration de son propre système, il écrit :

Système de ma philosophie

Fondé sur le seul individu.

Représentation de toutes choses rapportées *EXPLICITEMENT à un point individuel. (« Moi »)

Recherche des variables PERMANENTES — INDÉPENDANTES.

Réalisation d'un système fini — fermé.

Recherche des « fonctions ».

Critique et élagation des problèmes conventionnels historiques ; et des notions indéfinissables — ou illimitées. Ni Espace, ni Temps, ni Cause, ni Réalité, ni etc. Mais le Fonctionnement.

Théorie des phases — et des modulations — États critiques — Énergie — L'attention, le sommeil, le rêve.

Théorie des formes.

Théorie de l'Acte — de l'Équilibre — Accommodation — du Présent.

L'image — formule.

La Mémoire. Rôle fonctionnel d'une idée.

En somme les *imaginaires* des divers ordres bien isolés du réel.

Ce qui a fait l'immense succès de la géométrie, c'est sa forme. Triomphe de la forme fixe.

C'est cela qui est toujours à trouver — — pour ceci.

Il s'agit de trouver une forme — et d'abord les *figures élémentaires* de la conscience.

La chose — l'objet

L'événement

L'acte   (1922) (*C*, VIII, 776-7 ; *CI*, 812)

Si l'acte philosophique méconnaît les lois de son propre fonctionnement il n'y a aux yeux de Valéry que deux thérapeutiques possibles ; l'une qui est explicitée dans de très nombreuses notes et dont la longue citation que nous venons de faire est une illustration, c'est la thérapeutique par réflexion sur le mode de constitution du langage de la philosophie, sur la genèse qui correspond à sa dissolution par démonstration du « néant » sémantique des termes de la philosophie ; l'autre thérapeutique est déterminée par

« l'abstraction » dans la philosophie de la part de jouissance esthétique qu'elle comporte. Valéry, ici, et sans le dire, privilégie au niveau des systèmes philosophiques deux aspects jugés déjà complémentaires et solidaires dans l'acte poétique, l'élément phonétique et l'élément syntaxique. Ce sont ces deux éléments qui séparés de leur contenu sémantique et pragmatique — fonctionnel, dirions-nous, pour utiliser un mot si souvent introduit par Valéry — constituent les soubassements de la jouissance de structures formelles qui ont une pure fonction de jeu où l'œuvre, si elle renvoie par la jouissance qu'elle procure à la sensibilité et à l'intelligence du sujet, ne concerne, quant aux formes, que le rapport qu'elle entretient avec elle-même dans — selon l'expression de Kant appliquée, elle, aux êtres vivants et aux organismes — une « finalité sans fin ». De sorte que l'intellection d'un système de la philosophie ne fait qu'un avec la possibilité qu'il a de proposer une pure jouissance esthétique où les recherches d'indices référentiels doivent être définitivement bannies. L'œuvre publiée de Valéry comme une grande quantité de notes et de réflexions appartenant aux *Cahiers* abondent en indications qui renvoient la philosophie à cette autre possibilité : ses assertions n'ayant pas de rôle fonctionnel et doué de vérifiabilité expérimentale à jouer — on notera d'ailleurs, ici, combien le sémantique pour Valéry, se réduit au fonctionnel, plus proche sur ce point des remarques systématisées par Karl Popper que de celles de certains positivistes mêmes, et se plaçant, de toutes façons, aux antipodes d'un traitement phénoménologique du sens fondé sur le rôle assuré par le « vécu ». La question : « Qu'est-ce que le sens ? » pouvant pour Valéry faire l'objet d'une recherche tout à fait essentielle à l'intelligence du fonctionnement du « système ».

Sur le traitement « thérapeutique » et esthétique de la philosophie la note suivante des *Cahiers* est particulièrement éclairante :

La philosophie tout entière est malgré soi entraînée peu à peu à se placer sous la protection de l'*esthétique* ou plutôt sous l'apparence inattaquable du *Jeu*. — Les philosophes étant les derniers à s'en apercevoir. Le Savoir, en effet, perd toute signification et même toute bonne conscience, quand le pouvoir n'y correspond pas.

— De plus le langage mieux connu ne laisse plus d'illusions, — ne peut plus dissimuler sa vraie valeur qui n'est que transitive — valeur de transformation.

Le « monde », la « cause », « l'univers », les « concepts », la « connaissance », les « principes », le réel.

Tout ce matériel —

Ce qu'il y a de vérifiable dans ces termes s'en va joindre des « sciences ».

Et que faire quand les esprits sont, les uns, dressés par ailleurs à une précision toujours croissante, — par les sciences —

les autres, à une liberté ou anarchie de combinaisons par la littérature ?

(C, XIII, 382 ; CI, 637)

Le rapport de l'homme à lui-même, c'est-à-dire le rapport du « je » aux déterminations de la conscience s'accompagne d'un autre double rapport : un rapport de l'homme au monde, un rapport de l'homme à son propre corps. Or, justement, l'expression des rapports de l'homme au monde peut passer par les mécanismes d'ajustement que connaît la science, en un processus d'objectivité, soit par le processus de la philosophie, soit par l'expression poétique.

L'intérêt est de fixer en quoi la philosophie a négligé ou même plus systématiquement méconnu la nature des concepts qu'elle a déployés pour traduire ce rapport ou interpréter le monde et l'ensemble de ses déterminations. La question pourrait être formulée de la manière suivante : « Comment les mots ont-ils trahi le philosophe ? » Le schéma demeure le même ; la connaissance philosophique n'étant pas fonctionnelle, il convient que la philosophie se place dans l'espace esthétique comme une variété d'entreprise poétique. Dans les *Cahiers* Valéry écrit : « *Le savoir n'est plus une fin mais un* moyen *— or, le Philosophe fut celui* pour lequel *il* était une fin. » (C, XIII, 401 ; CI, 637). Or, pour Valéry, cet aphorisme marque le destin de la philosophie dans sa mise en perspective à partir du développement et des réussites de la science depuis, au moins, le XVIIe siècle. On sait qu'il y a aussi une autre mise en perspective de la philosophie à partir de la totalité des réussites des expressions esthétiques, dont l'expression poétique est, de loin, sans doute, la plus remarquable. Ce qui est tout à fait pertinent dans la mise en place de ces rapports c'est, chez Valéry, le renversement de la perspective classique depuis Platon et Aristote. Que l'on songe au fondement de la totalité du savoir dans la philosophie de Platon et, plus nettement encore, dans celle d'Aristote. La philosophie étant chez Platon « ce qui fonde » alors que les mathématiques possèdent un aveuglement particulier quant au fondement de leurs propres principes. Que l'on songe, plus spécifiquement encore, à l'arbre du savoir chez Descartes. Les racines du savoir sont la métaphysique et tout le reste prend appui sur elle. La nature même de ce fondement et la subordination de tout savoir, de toute pratique, de toute « poétique » à ses vraies racines métaphysiques constituent chez de nombreux philosophes appartenant à l'antiquité et à l'âge classique la véritable enveloppe du seul « radicalisme » authentique. Un radicalisme qui n'est que le refus de voir dans le savoir constitué l'occasion de construire des modèles en fonction desquels tout désormais serait examiné, un instrument de mesure idéal grâce auquel sera examinée la vérité de tout. À ce titre les « radicaux » sont extrêmement rares en philosophie : Socrate oui, sans doute, Descartes également, Husserl, peut-être Bergson. Et, à considérer ces critères, incontestablement Valéry n'est pas un radical en philosophie. Même si sa référence à Descartes est très fréquente, même si le cogito est aperçu et constitué comme le point de vue focal au nom duquel tout est redit, en fonction duquel tout est recentré. Mais même lorsque l'attitude de Valéry semble « radicaliser » sa critique de la philosophie et justifier les fondements de sa nouvelle philosophie le modèle mathématique devient très vite constituant, témoin cette note des *Cahiers* :

La meilleure philosophie, à mon sens, est celle qui nous apprendrait à mettre tout problème *en équations* — par une découverte des éléments constants de toute transaction mentale — et des figures toujours réalisées.

Cela me suffirait. Car je ne vois pas qu'il soit nécessaire que les problèmes même les plus considérables aient une seule solution plutôt que plusieurs, ou aucune, ou une infinité.

Mais le goût de l'unique réponse fait que l'on pose depuis des milliers d'années les problèmes sous une telle forme que l'on ne puisse leur imaginer, à peine de contradiction, qu'une seule solution.

Nous voyons, au contraire, la « Nature » trouver une pluralité de modes pour la locomotion, la reproduction etc. des vivants. Et l'art qui veut faire un lieu fermé n'est pas astreint à un seul style etc.

(C. IV, 641-2 ; CI, 505)

Cette recherche d'une unité de mesure veut assurer la continuité entre toutes les déterminations du moi, les pensées de l'ego. Car la faiblesse pérenne et quasi native de la philosophie, c'est de travailler dans l'hétérogène et le discontinu : chaque pensée est inassimilable à une autre pensée, chaque trait du cogito incomparable à un autre trait. Rendre toutes pensées comparables et mesurables pour que le moi circule dans la continuité fluide et homogène du contenu mental et, bien entendu, faire que le penseur puisse mesurer le degré de validité de chaque pensée. Une réflexion comme celle qui suit exprime à la fois un programme, un vœu et sans doute, aussi une sorte de regret : « *Je réduirais volontiers la philosophie à la recherche de la* forme *(ou des formes) qui conviendrait à l'expression ou à la représentation,* d'un seul tenant, *de toutes choses pour un individu donné. Cette classification, ce rattachement, cette organisation, ce Système est entièrement indépendant du degré de " Science ".* » (C. VIII, 456 ; CI, 572). Mais si dans le rapport du moi à la totalité de ses représentations Valéry peut, parfois, imaginer une science fondamentale relativement indépendante des présupposés de la science, puisqu'ici il y a une abstraction des motifs, essentiellement pragmatiques, dans le rapport que le moi entretient avec le monde, seuls comptent les protocoles que la science met en œuvre qui montrent quel est le vrai critère de la vérité, assuré par le respect des catégories sémantiques et fonctionnelles dont la philosophie a négligemment et dangereusement fait l'économie. Dans cette perspective on peut voir très nettement que Valéry a exposé dans une série de propositions aux contenus souvent développés sur un plan purement intuitif des thèmes qui devaient être formalisés par les néo-positivistes surtout dans l'œuvre américaine de Carnap.

Les thèmes de Valéry sont caractérisés par l'identité qu'il établit entre le significatif et le fonctionnel. Ces propositions peuvent être ordonnées de la manière suivante :

1) les énoncés de la philosophie ne répondent pas aux critères sémantiques, car aucun philosophe n'a vraiment élaboré le sens des propositions qu'il avance. Bien plus certainement ces propositions sont carrément des non-sens. Ainsi il écrit :

La plupart des problèmes de la philosophie sont des non-sens ; je veux dire qu'il est généralement impossible de les « poser » d'une façon précise sans les détruire.

Generalement aussi, ces problèmes ne résultent pas d'une étude directe, mais ils sont engendrés par des théories ou des modes d'expression plus anciens qui, devenus insuffisants et en désaccord avec des faits ou avec une analyse plus fine, ont donné naissance à des paradoxes.

C'est ainsi que l'argument sur la divisibilité du temps et de l'espace repose sur l'imprécision de cette opération. Il n'y a qu'à revenir à ce qui se passe quand on divise soit physiquement, soit (d'une façon très différente) intellectuellement pour annuler l'argument.   (C, V, 576 ; CI, 532-3)

2) cette incapacité à élucider le sens des mots que la philosophie utilise a, comme cause, la diversité des usages du même mot dont les références sémantiques ne sont jamais fixées et définies. La réduction à l'univocité est donc toujours absente et, si la plurivocité est inévitable, l'usage et l'élucidation de la genèse et du sens de cette plurivocité sont toujours absents également. Cette plurivocité n'est pas réglée. Disons que, esquissant une genèse réductrice, Valéry montre essentiellement qu'elle tient à deux séries de facteurs. L'éloignement dans le temps des sens possibles actuels d'un mot de ses acceptions originelles, originaires et originales — d'où chez lui, en poésie l'usage fondateur des recours à l'étymologie —, crée un phénomène d'opacité et de psittacisme dont tout discours philosophique souffre inévitablement. La position de Valéry retrouve, ou plutôt annonce ici, l'ensemble des analyses des philosophies de la référence qui fondent la constitution du sens sur la description de la référence et des éléments essentiels qui la constituent. Disons en bref que le référent chez Valéry est finalement de trois types : il peut soit consister en un vécu attesté par la conscience, soit en une réalité dont la forme et le contenu ont leur statut dans la perception, il peut enfin, et c'est là son indice de consistance et de validité rigoureuse et scientifique le plus assuré et acceptable sans recours et ratiocination indéfinie, résider dans un

système de vérifications progressives et graduées qui font du référent l'expression fonctionnelle d'une loi mathématiquement définie. En fait, dit-il, aucun des problèmes philosophiques ne vient souscrire vraiment à ces exigences. De nombreuses notes des *Cahiers* sont, à cet égard, tout à fait éloquentes ; ainsi la note suivante :

— Tous les « problèmes métaphysiques » sont insignifiants. Ils se défont en idées incohérentes si au lieu de chercher à les résoudre, on cherche à les faire précis — — à déterminer le cercle d'existence de chaque mot dont ils se composent.
Ainsi « faire le monde » — mais *faire* est impliqué dans *monde*. [...].
« Qu'est-ce que l'homme ? » Mais ce qu'on veut — quelle réponse veux-tu ?
Tous ces problèmes sont naïfs, — mais leur position — celle de leur ensemble — n'est pas sans signification. C'est quelque chose qui se manifeste par des questions naïves.
Ainsi le problème de la création est curieusement intermittent. Tout d'un coup, le « naturel », l'habituel, est perçu comme étrange. On ne pensait même pas que la pierre lancée pût ne pas retomber, et on pense tout à coup qu'elle *pourrait* demeurer, — on demande quoi ou qui la fait tomber.
De même l'*à quoi bon ? — à quoi sert — ?* Il n'est pas *légitime* d'appliquer une question à quoi que ce soit. La question s'y met d'elle-même, ou de moi-même, — c'est vrai. Mais cette attitude n'est pas démontrée légitime parce qu'on la prend.
À quoi bon vivre ? — Mais c'est une fausse question. C'est un sentiment traduit par un instrument précis — non fait pour lui. C'est vouloir puiser de l'eau avec un filet. Vivre a pour instrument parmi d'autres cet *à quoi bon*. À quoi bon implique un vivant et ses besoins — et ce vivant passe sa vie à donner à chaque chose une valeur d'usage, au moyen de sa vie même.
D'ailleurs, une fois l'indépendance verbale des questions reconnue il est facile de soumettre un à quoi bon à un autre, un pourquoi à un autre. Pourquoi ce pourquoi etc. (1913) *(C. IV, 894 ; CI, 509-10)* [3]

La deuxième infériorité sémantique du langage philosophique tient à l'impossibilité pour le philosophe, en tout cas son impossibilité actuelle, et toujours vérifiée, d'en finir avec le vague et le peu de précision des notions. Très tôt Valéry écrit : « *Il m'est clair que toute mon intention intellectuelle et vitale a été constamment* *d'en finir avec tout le vague des pensées importées par tant d'hommes — cette atmosphère d'*à peu près, *de problèmes verbaux, et surtout avec toute l'impureté mentale — accumulée.. »* (C, XXVII, 23 ; CI, 213), et encore : « *La passion me vint, vers la vingtième année, de consumer tout cela, et, quant à mon exercice propre, de le mettre à* épuiser *de mon mieux les possibilités de mon esprit sans m'inquiéter. des conséquences de cette volonté pour mon avenir extérieur.* » Mais cette impuissance a été plus particulièrement et plus précisément spécifiée par Valéry comme l'absence d'échelle. La remarquable absence d'une pensée qui indiquerait à quelle échelle les mots sont pris, à quel ordre ils renvoient, bref à quel système de référence ils se rapportent.

Quel sens accorder à ce mot *échelle* ?

Il s'agit, en effet, pour Valéry de déterminer à quel type ou catégorie d'expérience renvoie l'usage d'un mot, d'une formule, d'une expression et ainsi.de créer une utilisation graduée et ordonnée du langage [4].

Ainsi les ambiguïtés et les maladies « sémantiques » de la philosophie pourraient être levées par une nouvelle discipline fondée sur l'élucidation systématique de la notion de référence et la mise au point de la notion d'échelle. À moins, et c'est là une deuxième et aussi fondamentale hypothèse dans les rapports que le moi entretient avec le monde, que la philosophie acceptant alors la totalité de ses caractéristiques et de ses « infériorités », devienne, enfin, pour ceux qui la font, un *genre littéraire* :

La Philosophie est un genre littéraire qui a ce singulier caractère de n'être jamais avoué tel par ceux qui le pratiquent.

Il en résulte que cet art est demeuré imparfait, toujours critiqué dans son faux objet et non dans son vrai ; jamais poussé à sa perfection propre, mais tendu hors de son vrai domaine.

En vérité, c'est un art de penser, mais de penser en rattachant chaque pensée particulière à une pensée plus générale — c'est-à-dire plus simple, mais non moins individuelle.

Unification des poids et mesures.   (C, VIII, 845 ; CI, 579)

Quant aux rapports du moi et du corps, seul le poète en a la charge et le secret. La poésie étant la seule complète et authentique

« ontologie du corps ». Ainsi la « *pars destruans* » qui faisait de Valéry un très remarquable néo-positiviste se laisse absorber dans l'édification d'une intelligence plus complète d'une typologie des expressions. Le sens vient aux choses, à l'être et à l'homme par la double discipline de la mathématique et de la poésie, la seconde étant entreprise qui, cessant de maintenir l'intellect dans la solitude de son insularité, le ramène au monde et l'immerge dans le corps.

NOTES

1. Je ne puis me refuser de citer ici ce mot de Valéry qui définissait ainsi la méthode : « [...] *un système d'opérations extériorisables qui fasse mieux que l'esprit le travail de l'esprit* [...]. » (« Descartes » ; I, 800). On comprendra que, dans ces conditions, si Valéry a été un démonteur des mécanismes impliqués dans l'édification des procédés de la science il n'aurait jamais pu se résoudre à mettre son esprit en repos une fois mises en place les méthodes et les logiques...

2. Voir LABERTHOMIÈRE, *Études sur Descartes* (Paris, Vrin, 1938), t. I, Introduction et t. II, Chap. I et II.

3. Voir également la note suivante :

« *La tâche philosophique à accomplir serait de renvoyer à l'histoire les mots de la philosophie accomplie.*

Le temps n'est qu'un mot, suffisant et clair pour l'usage, dangereusement vide pour la spéculation — chargé de sens contradictoires. Aussi l'Espace et le reste.

Il faudrait reprendre l'observation primitive et se faire des concepts plus purs.

Ainsi, pour le temps, ce qu'on constate n'est jamais temps. Cela peut toujours se désigner autrement : on constate des déplacements, des altérations, des liaisons, des indépendances, des ordres —, des répétitions. À la vérité il semble simple d'exprimer ces phénomènes au moyen du mot temps. *Mais cette simplicité est trompeuse — Elle se paye.* » (1913) (*C*, V, 124 ; *CI*, 517).

et celle-ci :

« *Il n'est plus de métaphysique possible à partir du jour où les notions d'utilité (finalité), d'intelligence, de monde, de fabrication, de désir ou amour, de plaisir, de souffrance, de cause etc. etc. sont conçues comme n'ayant de valeur qu'à notre échelle — dès que nous pouvons raisonnablement montrer qu'elles ne sont définies que dans une région finie.*

(La lune est tellement nette, un soir, qu'on croit la toucher et palper sa surface et sentir les aspérités.)

D'ailleurs plus on approfondit, plus on recoupe, plus on serre ce que l'on tient — le réel apparent —, plus on se trouve approcher de l'inintelligible, de l'informe-quant-à-l'homme ; du dissemblable — — La vérité ne ressemble à rien.

C'est-à-dire que l'insuffisance de tous ces concepts et de toutes nos analogies se touche du doigt.

Notre connaissance dépasse alors en quelque sorte son rendement utile.

Non seulement la quantité des faits mais leur qualité nous passe. Le microscope fait voir des choses qui ne ressemblent à rien.

Nous sommes donc contraints de considérer notre compréhension ordinaire, notre fonctionnement psychique normal effectué entre perceptions et raisons à partir des sens, — comme une sorte de convention. Et en effet au moyen d'une variation de point de vue, nous sommes amenés à constater l'existence de domaines réels — jusqu'en nous-mêmes ! — qui débordent toute conception.

Or on ne peut adopter une métaphysique qui ne conviendrait qu'à une partie de la réalité OBSERVABLE. » (*C*, V, 160-1 ; *CI*, 518-9).

4. Voir le texte cité plus haut, intitulé « Vraie philosophie » (*C*, X, 889-90).

UNE MÉTHODE À LA DESCARTES :
LE « LANGAGE ABSOLU »

par Nicole CELEYRETTE-PIETRI

RIEN peut-être ne fut plus fondamental dans l'entreprise sur laquelle Valéry inscrivit, sa vie durant, le nom de « Système » que la volonté de mettre de l'ordre dans l'esprit. Si complexe qu'il puisse paraître, le Système, dans son intention directrice, est un effort de clarté et de simplicité. Il n'est pas arbitraire de le placer sous le signe de Descartes, seul patronage qu'il ait jamais admis. L'illumination d'une nuit de novembre, un « coup d'état » et la conception de la Méthode : c'est l'itinéraire spirituel de 1619, et il semble reproduit par celui de 1892 [1] qui déboucha sur l'idée du Système. Idée parfois développée sous le titre « Discours de ma méthode » [2] par un Valéry qui s'appelle à l'occasion « *Ego Cartesius* » [3]. Si l'usage fréquent du mot *Méthode* pour désigner le Système montre bien qu'il fut moins écrit que vécu, le rapprochement avec la Méthode paraît créer des ambiguïtés. Il n'y a en effet pas plus de définition simple de l'un que de l'autre. Dans les deux cas, le concept a un double aspect, théorique et opératoire : il s'agit à la fois d'un idéal de connaissance et des techniques permettant de s'en approcher [4]. Valéry cependant précise que la démarche dont il s'inspire n'est pas celle du *Discours* [5], qui reste pour lui une simple préface à des traités de science, mais celle de la *Géométrie* : « *Le "SYSTÈME"* [...] *C'était, c'eût été, c'est, ce*

157

fut et serait une espèce de méthode à la Descartes — j'entends la Géométrie » (C, XX, 290). Ce n'est pas là une déclaration isolée. Évoqué de façon suivie et cohérente, le modèle cartésien est une des très rares références scientifiques explicites de la pensée valéryenne. Dans son orientation la plus constamment affirmée, le système fut une tentative pour le transposer dans l'ordre du langage et par là pour remettre en cause toute la réflexion philosophique en invalidant ses instruments traditionnels. La *Géométrie* devait conduire au langage « absolu ».

le modèle cartésien

Originale à l'époque, l'idée d'adapter un modèle mathématique à des recherches psychologiques avait animé l'*Arithmetica Universalis* et la « *théorie des opérations* » [6]. Mais bientôt Valéry renonce à l'emprunt pur et simple de concepts qui peuvent se révéler inadéquats. Le risque, désormais, est d'en rester à une démarche analogique n'ayant de portée que dans l'imaginaire. Valéry tente de s'en prémunir par une réflexion très sérieuse, bien qu'émiettée dans sa forme, sur la *Géométrie* et ses concepts clés, en particulier celui de point. Son ambition affirmée est de créer son propre outil de pensée, dans une fidélité constante à l'esprit cartésien : fidélité qui s'exprime dans les formules apparemment les plus ambiguës, comme celle, essentielle, par laquelle il résume la leçon d'une œuvre : Descartes est « *l'homme des axes* » (C, IX, 638).

Ces axes sont d'abord ceux qu'inventa le géomètre. Ils permettent de donner des équations aux courbes que les Anciens ne savaient étudier qu'intrinsèquement, et chaque point y a des projections dont les abscisses sont ses coordonnées. Ils fournissent une référence, et Valéry voit une notion essentielle dans cette « *quantité* référée » (C, XVII, 451) à laquelle Descartes a ramené la géométrie. Les définitions des courbes deviennent comparables entre elles. On a désormais une classification uniforme, un « *langage homogène* » (VD ; I, 819). On peut « *traiter systématiquement* tous *les problèmes de la géométrie en les réduisant à des problèmes d'algèbre* ». Si, dans toutes les mathématiques cartésiennes, Valéry s'attache presque exclusivement à cette seule invention des axes de coordonnées, c'est qu'elle a permis le passage à un niveau d'abstraction ou de généralité plus élevé, et constitue une véritable révolution scientifique [7]. C'est aussi qu'en faisant régner la forme de l'équation, Descartes propose un univers conservatif, celui de l'égalité mathématique où l'entropie n'existe pas : univers hors Carnot [8] qui semble symboliquement ignorer la mort, et comme tel attire Valéry chez qui une sorte de choix philosophique fonde la prédilection affirmée pour l'équation. On peut trouver dans les *Cahiers* de nombreux passages évoquant « *l'idée " géniale " de Cartesius* » (C, XI, 177) :

Avant lui l'idée admirable de lieu existait mais la propriété générale (qui consiste à définir un point ou situation par une relation) était considérée comme intrinsèque et résidant dans chaque courbe sans lien avec les autres. D[escartes] a eu l'idée du lieu des lieux — et de la traduction dans un langage homogène de toutes les propriétés de tous les lieux [...]. De plus, il institue une relation réciproque entre figures et écritures.

(C, XI, 177)

Une note voisine montre bien que l'invention cartésienne, comme d'ailleurs toutes les mathématiques, intéresse Valéry dans la mesure où il croit y trouver un instrument utile pour la mise au point de sa propre méthode : « *Sic — Crassus — Paulus recherche d'un mode de penser qui soit à l'ordinaire ce que le penser analytique est au " synthétique "* » (C, XI, 176).

Mais « l'homme des axes », c'est aussi celui qui a « planté les axes » (voir C, X, 184) dans son Moi. Il a voulu « *bâtir dans un fonds qui est tout à* [*soi*] » [9], c'est-à-dire ramener tout, problèmes et solutions, aux besoins, aux actes et aux pouvoirs du Moi qui s'affirme dans le Cogito. Et il est bien vrai que Descartes enracine tout, y compris ses mathématiques, dans cette certitude initiale. C'est donc sans trahir sa pensée que Valéry se permet d'opérer dans ces *axes* une confusion analogique : « *Son Moi est géomètre et je dirai (avec réserves) que l'idée mère de sa géométrie est bien caractéristique de sa personnalité tout entière. On dirait qu'il ait* pris, en toute matière, ce *Moi si fortement ressenti comme origine des axes de sa pensée.* » (*VD*; I, 839). Dès 1900, il définissait en termes analogues son propre projet : signe, parmi bien d'autres, d'un processus d'identification plus précoce qu'il n'y paraît. « *Se servir agilement, sciemment et méthodiquement de son Moi comme origine de coordonnées universelles* » (*C*, II, 141). Bien des années après, rappelant que Descartes n'est pas le seul à avoir rêvé de tout rapporter à un ensemble de règles fixées une fois pour toutes, il semble songer à son Système en évoquant une Méthode dont la portée déborde la *Géométrie.* Car sa vie, comme celle de Descartes, fut inspirée par « *l'idée de créer et d'imposer à tout ce qui est du domaine de la connaissance un traitement uniforme et méthodique, qui fasse de toute question une sorte de figure particulière de l'espace intelligible, comme l'invention de la correspondance entre les lignes et les nombres transforme toute courbe en propriété particulière de l'espace de la géométrie* » (*VD*; I, 822). Autant que l'instrument qu'il a créé, c'est l'idéal de l'homme de la Méthode qui guide la recherche valéryenne et son ambition majeure : introduire dans le monde psychologique la rigueur mathématique que la révolution cartésienne a introduite dans la connaissance du monde étendu.

Il est pour cela nécessaire d'opérer une réfection de la matière d'observation. C'est, défini par Valéry, l'effort même de Descartes : « *Il ne s'agit de rien de moins que de se faire un regard sur toutes choses, qui les rende propres à être traitées selon la méthode* » (*VD*; I, 822). Et c'est aussi celui du Système : « *Je me sentais, je me voulais donc un certain* regard, *et je ne suis guère que cela.* » (*C*, XXV, 455). Ici et là le geste veut être de table rase. Les *Cahiers* invitent à proscrire les concepts de la philosophie traditionnelle qui sont « *autant de vases fissurés, de mauvais instruments* » (VIII, 591). « *Le temps, l'espace, l'intellect, la mémoire, etc. Il ne faut pas penser* avec *ces éléments impurs* » (34). Le but général n'est pas seulement de refaire les observations, mais de les simplifier, et de « *substituer au donné qui est* quelconque *une des figures exactes qu'il contient toujours* » (VII, 320). C'est là transformer le fait brut en fait expérimental puis scientifique. Valéry affirme sa « *conviction de l'impossibilité de savoir ce qui ne peut être objet de science* » [10] : le cartésianisme est bien la caution épistémologique du système qui pourrait se réclamer de la seconde des *Regulae* : « Il ne faut s'occuper que des objets dont notre esprit paraît capable d'acquérir une connaissance certaine et indubitable. [...] *ceux qui cherchent le droit chemin de la vérité ne doivent s'occuper d'aucun objet dont ils ne puissent avoir une certitude égale à celle des démonstrations de l'arithmétique et de la géométrie.* » [11].

le langage absolu

Le Système ne vise donc pas la réalité en soi : les choses ne se rendent pas à l'esprit qui n'atteint jamais que le « *réel de la pensée* » (C, XII, 280). Nul autre objet pour la connaissance que ces « *phénomènes mentaux* » [12] à quoi tout se réduit, nul effort légitime, sinon pour les décrire aussi exactement que possible. Dès 1900, les *Cahiers* affirment ce qu'ils ne cesseront ensuite de répéter : « *Le but est la représentation.* » (I, 892) : « *Pourquoi ne pas adopter franchement le parti de représenter [...] une courbe n'est pas une équation mais on évite facilement la confusion et un résultat très clair est obtenu.* » (II, 384) [13]. Ce que le Système veut proposer, ce n'est pas le monde, la « *réalité supposée* », mais une « *carte du monde* » [14] : une expression cohérente et rigoureuse, caractérisée, comme une bonne démarche mathématique, par « *son économie, sa fécondité, son élégance* » (VII, 891). À travers le temps, le projet en est toujours défini en termes analogues : ce devait être « *Un système de relations entre choses observables, ou faisables* » (de 1921) ; « *un système de notation absolu — qui* [excluait] *l'explication — pour tenter la représentation utilisable — et la possibilité de traduire en pouvoirs réels toute chose —* » (XXI [1938], 72). Un tel effort de traduction ne s'est guère exercé que dans le domaine du langage, souvent assimilé à un espace euclidien qu'il faut algébriser. Ce que Valéry appelle son « *analyse* » [15] ou « *théorie analytique* » devait déboucher sur l' « Absolu », ainsi appelé parce que rien ne peut se situer en dehors et qu'il doit fournir un principe de représentation universelle. « Absolu *est le langage qui est tout le " Système "* » (XVII, 671). L'idée d'une « *réduction à l'Absolu* », ou d'une « *projection sur l'Absolu* »[16] qui évoque évidemment la « *projection sur les axes* », semble bien avoir pris le relais de l'*Arithmetica Universalis* et définir dès lors ce que Valéry nomme le Système, même si le mot *Absolu* n'apparaît que tardivement[17]. Les références très précises au modèle cartésien sont nombreuses et nulle part contredites à partir de 1922.

Le Système

Grosso modo le Système a été la recherche d'un langage ou d'une notation qui permettrait de traiter de omni re comme la géo[métrie] analyt[ique] de Descartes a permis de traiter toutes figures.   (*C*, IX [1922], 82)

Mon idée fut de concevoir une langue artificielle fondée sur le réel de la pensée, langue pure, système de signes — explicitant tous les modes de représentation — qui soit à la langue naturelle ce que la géom[étrie] cartés[ienne] est à la g[éométrie] des Grecs.   (*C*, XII [1927], 280)

Mon cartésianisme —

Tout considérer dans l'*espace du langage*, comme D[escartes] toute figure de l'espace euclidien dans ses projections sur les axes.

(*C*, XXIII [1940], 869)

Valéry ne songe pas un instant à éluder les questions qu'un tel projet soulève : « *Qu'est-ce que projeter, que sont les axes, dans ce domaine ? Et le point ?* » (*C*, XI, 176). Et il découvre que l'équivalent du « lieu des lieux » où Descartes a inscrit les courbes, c'est un Moi apparaissant dans chaque expression[18]. Le « langage absolu » n'est en effet rien d'autre que « *le langage du relatif déclaré* » (*C*, XVII, 671) ; il implique la présence ouverte du Moi observateur, dont la situation par rapport à tout phénomène est aussi unique que celle du point origine de coordonnées[19], auquel il est très souvent comparé, ou celle volontiers évoquée du petit homme des illustrations de la *Dioptrique* regardant derrière un gros œil[20]. Au-delà des images, l'intention, simple et parfaitement rigoureuse, est de remplacer le langage légué par l'Autrui anonyme, véhicule d'anachronismes et d'idéologies défuntes, par un langage homogène élaboré par un Moi et référant à lui. C'est en ce sens très précis, et presque technique, qu'il faut entendre une formule qui aurait pu paraître floue : « *Le Système — n'est pas un "système philosophique" — mais c'est le* système de moi — » (XVIII, 55)[21]. Pour opérer cette « réduction à l'Absolu », c'est-à-dire à des caractères « miens », de quoi que ce soit, il faut définir des « axes » qui ne sont pas, comme dans la *Géométrie*, une pure commodité abstraite. Ils s'enracinent dans l'expérience vécue, dans cette notion fondamentale chez Valéry des « pouvoirs réels » du Moi, entendu ici comme l'individu au monde[22].

un « *cartésianisme dont le corps est référence* » (C, IX, 258)

Or, la découverte de 1892 fut que ce que peut un Moi doit se ramener à la sensation et à ses effets[23], autrement dit à ce mécanisme Demande—Réponse qui régit le vivant.

Le Système n'est autre chose que l'ensemble des vues et recherches consécutives à la possession de cette remarque si simple (1892) que tout est ou sensations ou *effets* de sensations   (C, XII, 21)

Le sentir et l'agir — le « *sensible vrai* »[24] et l' « *agissable réel* » — sont donc les deux axes auxquels celui qui se nomme maintenant « *Cartesius novissimus* » va se proposer de tout rapporter.

Tout réduire non plus à la matière et au mouvement, mais à la sensation et à l'acte — (ou au D.R.)   (C, XVII, 451)
Toutes nos idées sont combinaison de ce que nous *pouvons percevoir* ou imaginer avec ce que nous pouvons ou savons *faire*.
Rapporter toute idée à ces « axes » est les traduire en *Absolu*.
                    (C, XVII, 672)

La réduction valéryenne du savoir au pouvoir doit être située dans cette problématique : « *J'appelle absolu ce qui constitue un accord du pouvoir avec le savoir* » (C, XXII, 815).
Fondé sur la sensibilité, l'Absolu amène donc à traduire le « réel de la pensée », seul domaine de la connaissance, en termes de fonctionnement du corps. Il est assez évident que la place pri-

mordiale dans le Système doit revenir au Moi Corps : non pas ce que Valéry appelle le « *Mon Corps* » (C, VIII, 497), ou une abstraction comme le Moi pur, mais « *le corps vrai, l'intime travail* », le corps vécu qui est « *le nœud de toutes choses* » (391). C'est par lui que Valéry a tenté d'introduire, dans sa représentation de l'humain et du monde auquel il se confronte cette quantité référée dont il soulignait l'importance dans le cartésianisme. « *Le* corps *me semble la chose à étudier de près. Car il est lié à tout, et dans chaque événement φ ou ψ, ses parties ont des valeurs déterminées. Il est l'unique, le vrai, l'éternel, le complet, l'insurmontable* système de référence. » (752) [25]. Si l'on doit toujours retrouver ce corps dans toutes nos questions, on rencontre dès lors le difficile problème, en forme d'Ouroboros, de ses rapports avec la connaissance, englobée par ce qu'elle englobe, contenant ce qui est son support : problème auquel Valéry, évoquant l'étude algébrique des courbes, esquisse une solution analogique qu'il ne poursuit pas :

> Mais si l'on faisait voir que cet objet particulier reparaît nécessairement, presque à chaque instant, que la *forme* de ses modifications est la forme même de la connaissance. Que les singularités de l'une correspondent à des singularités de l'autre
> que la connaissance peut en somme, au lieu d'être considérée *intrinsèquement* (au sens géometrique), l'être *extrinsèquement* au moyen d'une référence
> Alors...
> (C, VIII, 753)

Le corps doit fournir le « *tableau des unités absolues fondamentales* » (C, XXIII, 319), grâce auquel peut-être le Système pourrait parvenir à l'ordre par la mesure. Car si le but fut toujours d' « ordonner *la psychologie* » (IV, 242), il faut bien voir qu'à la base du Système, il y a la vieille leçon de Protagoras, « *L'homme est la mesure de toutes choses* » [26], que Valéry écrit alors : « *Le Corps est mesure des choses.* » (IX, 274). Sans doute, tout ne peut se réduire à *gorgée, foulée*, etc., mais « *la base, le sol de nos pensées est cependant cet ensemble* métrique *corporel d'actes* » (XIX, 672). La quête valéryenne de la *commune mesure*, de ces *Nombres plus Subtils* chiffrés N + S, conjuguant l'esprit et le corps, *Nous* et *Soma*, semble bien, finalement, s'être orientée de ce côté-là [27].

Il faudrait reconsidérer dans cette perspective le « Que peut un homme ? », cette question de la *Soirée* dont Valéry a dit qu'elle était son Cogito [28]. Elle est le point de départ qui lui tient lieu de l'évidence intuitive où tout s'enracine chez Descartes, et le préalable méthodologique du langage absolu. L'apparente complexité, les tâtonnements, les nombreuses notions mises en œuvre, les modèles essayés — l'équation $\varphi + \psi = K$, la « self-variance », les « trois lois », l'accommodation, le type réflexe, le mécanisme DR, les phases, l'action complète, etc. — tout cela en définitive se ramène à la recherche de l'Absolu [29] : c'est une enquête sur « *le système [des] pouvoirs réels* » qui doit le constituer : « *Il fallait donc les déterminer et je m'y suis mis.* » (C, XX, 141).

un dictionnaire

Cet Absolu, ce « *langage nouveau, obtenu par réduction de toutes notions en* fonctions *sensorielles et motrices, et correspondances entre elles* » (C, XXV, 341), qui a pour caractères d'être homogène, fini, référé [30], il a été réalisé, au moins dans cette algèbre du discours intérieur que fut le « langage-self ». Le Système, Valéry l'affirme, fut une réussite effective si l'on considère qu'il anima la pensée vivante : « *J'arrive enfin à projeter sur un certain plan — (mon absolu) — toutes choses mesurées en fonction de mes propriétés révisées.* » (XIV, 695). Mais la recherche de ce que fut réellement cette parole à soi-même, pensée en « *unités "absolues"* » (XIII, 724), est d'autant plus délicate que Valéry avoue avoir dû bien souvent la « *traduire en mesures communes non homogènes, en toises ou en arpents* ». Il précise pourtant que son ambition — celle du système — fut de mettre au point non pas une grammaire, mais un « *dictionnaire* » [31] et des définitions [32]. Il envisage bien moins la combinatoire, la sommation des termes, la forme des propositions, que le rapport phénomène—mot, et la création de concepts (voir XXIX, 308). Il ne s'agit pas pour autant d'innover entiè-

rement : « *Il faut que chacune de ces* notions *nouvelles soit définissable au moyen d'opérations simples, décrites en langage ordinaire* » (VIII, 591). Valéry cependant a tâtonné dans diverses directions pour tenter de mettre au point ces notions en les rapportant
aux pouvoirs réels du Moi de référence. Songeant à une transposi-
tion fidèle du modèle de la *Géométrie*, il a parfois voulu représenter tout phénomène par les valeurs de variables, qui sont pour lui
au nombre de trois et composent toute la connaissance : elles se
nomment « *Corps* », « *Esprit* », « *Monde* » [33]. Mais un tel essai
tourne court, faute de pouvoir ici quantifier. Plus souvent, il fait
appel à une « *imagerie* [...] *spéciale* » (VII, 901), à « *un syst[ème]
d'images fonctionnelles* » (VIII, 34) comportant les deux dimensions
φ/ψ, c'est-à-dire à la jonction du vécu corporel et de la conceptualisation. Elles sont volontiers empruntées à la science [34], et surtout
liées à des actes, car Valéry, comme le géomètre, veut pouvoir « à
chaque instant se référer à des images d'actes précises et toujours
attachées à nous, et identiques à elles-mêmes. Il n'y a pas 2 idées
ou images de cercle — comme il y a une ∞ d'images d'arbres. [...]
Ce sont les images d'actes qui seules sont disponibles, identiques,
présentes » (C, XV, 666).

Ce sont elles d'abord qu'il faudrait rechercher pour mettre au
point le dictionnaire du langage absolu. Une longue étude, que
l'on ne peut qu'esquisser serait ici nécessaire. On remarquera que,
comme si le mécanisme était l'hypothèse fondamentale [35], le mouvement est une notion clé dans les *Cahiers* pour décrire les phénomènes psychologiques. Aussi bien Valéry note-t-il à propos de
Descartes « *que l'intelligibilité est liée à nos facultés motrices et à
la priorité qu'elles nous offrent de passer et repasser des mouvements aux figures et des figures aux mouvements* » [10]. Beaucoup
de choses chez lui pourraient s'exprimer en termes de translation
et de rotation [36]. Et la trace la plus nette du langage absolu, on
pourrait la trouver dans la constance des deux images-concepts,
faisant intervenir la motricité et ce sens musculaire de nous [37] qui
est peut-être le plus important de tous, et s'inscrivant ainsi sur les
« axes » de l'acte et de la sensation. Ce sont la *rotation* et
l'*échange égal*, deux formes de l' « équilibre mobile » [38] qui défi-

nit le vivant par opposition à l'inertie. Dans un langage qui voudrait avoir la rigueur de la science, ces concepts sont aussi généraux que, par exemple, la notion de force en physique. Pouvant recevoir des contenus « significatifs » fort différents, ils permettent de décrire assez bien les directions de l'expérience humaine, en évacuant des mots vagues comme *espace, temps, conscience*. On ne pourra que feuilleter ici ce dictionnaire absolu.

L'*échange égal* ou *équilibre* — les deux termes sont utilisés presque indifféremment — a, dans la psychologie valéryenne, un champ d'application très large. Cette notion, qui se situe à un niveau d'abstraction comparable à celui d'une équation définissant une courbe simple [39], du type $\varphi + \psi = K$, ou sensation + acte = constante, sert de représentation à un processus à deux pôles dont le vécu immédiat est le réflexe, l'action-réaction, dont l'image abstraite parfaite est la relation réversible, et l'expression mythique la confrontation spéculaire de Narcisse. La forme la plus simple en est l'équilibre vivant de l'homme debout, compensant mystérieusement l'action de la rotation terrestre : « *Debout ! le miracle d'être debout s'accomplit. Quoi de plus simple, quoi de plus inexplicable que ce prodige, Équilibre ?* » [40]. Les *Cahiers* précisent, en référant aux axes corporels : « *Équilibre, je l'entends ici de l'état d'accord parfait du vivant — c'est-à-dire de coordination entre son état mécanique et sa perception de soi.* [§] *En particulier, son mouvement vrai (de son centre de gr*[*avité*]*) et son sentiment de mouvement.* » (C, IV, 564) [41]. D'une façon plus complexe, la notion désignera le couple phénomènes—Moi, la stabilité des relations de la conscience avec le monde. « *Le cours ordinaire des choses* [...] *peut se représenter par une égalité dans les échanges successifs.* » (IV, 495). Dans cette perspective, le « présent » n'est rien d'autre qu'une « loi des échanges » : « *le présent est lié à un être, — relatif à l'échange entre cet être et les autres choses qui sont réciproques de cet être.* » (VII, 46). C'est encore l'échange qui définit l'amour, qu'il s'adresse à l'autre ou à soi,

> Naisse donc entre nous que la lumière unit
> De grâce et de silence un échange infini !
> (*FN2* ; I, 128)

cependant qu'à l'inverse la douleur est « *empêchement de l'*échange égal » (C, V, 166), et l'oubli *« un moyen de l'échange égal ».

L'état chantant du poète[42], l'expérience esthétique que Valéry appelle celle du « Narcisse violoniste » recevront la même définition absolue, qui fait intervenir l'acte, la sensation, l'image scientifique. « *L'instrument de bois se perd, s'oublie, il se fait entre le son et l'homme un échange direct — C'est un cycle fermé, un équilibre entre les forces données et les sensations reçues.* » (C, VII, 668). « L'Âme et la danse », ce dialogue à peine traduit en « démotique », où le langage absolu affleure constamment, propose une image parfaite de cet échange égal, dans ce jeu de Narcisse qu'est la procession de l'Athikté sur le sol sans défaut, claire métaphore d'un rapport heureux du Moi et du monde. « *Elle place avec symétrie sur ce miroir de ses forces ses appuis alternés ; le talon versant le corps vers la pointe, l'autre pied passant et recevant ce corps, et le reversant à l'avance ; et ainsi, et ainsi.* »(AD ; II, 157). Alors l'espace et le temps ne sont plus des concepts vagues, ils s'expriment par des gestes du corps, ils sont marche et entrechats : « *On dirait qu'elle paie l'espace avec de beaux actes bien égaux* » (156) ; « *Ne croirait-on pas qu'elle se tisse de ses pieds un tapis indéfinissable de sensations ? Elle croise, elle décroise, elle trame la terre avec la durée...* » (160). Car la danse, « *ce n'est après tout qu'une forme du temps* »[43], et le temps présent, « *une roue qui roule sur une surface* » (C, VIII, 7), contact et frottement.

La marche monumentale conduit au tourbillon où l'Athikté s'enferme, à cette rotation, si importante peut-être parce qu'elle est transformation d'un solide, qui est l'autre image clé.

Rôle des rotations.
Pourquoi si remarquable ?
Pas de rotation sans *systèmes* — sans solidarité — et même *affirmée*.

(C, XV, 805)

Rotation, c'est l'acte de tracer, le concept simple de cercle, mais c'est d'abord valse, vertige[44] : « *La valse arrêtée, les choses la continuent [...]. Il y avait accord entre ma rotation et ma vision.*

Maintenant, dissociation. Au lieu de je tourne, on a : tout tourne... Mais c'est encore moi. » (C, IV, 564). La structure corporelle de l'espace devient alors visible dans sa déconstruction. « *Qui soupçonnerait que l'estomac, le pylore sont des fondements de l'espace ?* » (XVI, 255). Il faudrait dire ce que l'écriture et la pensée valéryennes doivent à l'expérience de cette « nausée spatiale » du vertige où le Moi sent vaciller son équilibre mobile, sa stabilité de toupie. «, *Les correspondances instantanées des forces et des sensations viscérales ou autres se troublent. Il y a des rotations, des vides, des chutes, des appels — qui* [nou]*s disent que la figure de ce monde passe* [...] *que les* choses *ne sont que comme le soutien de l'oiseau dans l'air, et* tombent *à la moindre cessation de l'acte de l'aile.* » (XXVII, 285-6). Si la présence de l'être au monde s'inscrivait dans la structure narcissique à deux pôles, si la mort est accélération du tourbillon jusqu'à la rupture, dernière figure et chute de la danseuse, « *Tout l'univers chancelle et tremble sur ma tige,* » (JP, v. 214), la rotation parfaite décrit l'acte essentiel de la conscience, le geste d'équirépulsion par lequel le Moi pur se distingue indéfiniment de quoi que ce soit. Figure du refus et de la vocation abstraite, elle oppose à un Moi « axe » ou « centre instantané de rotation »[45] l'anneau formé par une centrifugation. Dans le langage « *ad Delphinos* » (C, XIII, 724) c'est la danseuse :

Elle tourne, et tout ce qui est visible, se détache de son âme ; toute la vase de son âme se sépare enfin du plus pur ; les hommes et les choses vont former autour d'elle une lie informe et circulaire... [...]
   On croirait que ceci peut durer éternellement. [...]
   Elle reposerait immobile au centre même de son mouvement... Isolée, isolée, pareille à l'axe du monde...   (AD, II, 174)

Dans le langage absolu où l'image scientifique l'emporte sur les prestiges sensuels du visible, c'est la « centrifugation du moi » :

La conscience se distinguant indéfiniment de ses objets, elle tend à croire à elle-même, à son être séparable de tout objet. Je pense invinciblement à une masse en rotation et qui sentirait ses efforts, se distinguerait une accélération qui l'éloigne de son axe, une autre qui l'y ramène. Chaque instant la soumet à une division virtuelle — elle est indivise, mais son état ne lui est concevable que composé. L'axe croit exister.

169

C'est comme une formation perpétuelle de l'univers par centrifugation, analogue à la gigantesque centrifugation de la nébuleuse de Kant-Laplace. [46]   (C. VII, 392)

La même « nébuleuse laplacienne » représente ailleurs le fonctionnement total de l'homme — « *Mais quelle rotation a détaché la sensibilité de l'être, et la conscience de la sensibilité* » (C, VI, 584) — et aussi le Moi valéryen, identifié à son système : « Après tout — *JE* suis *un système terriblement* simple, *trouvé ou formé en 1892 — par irritation insupportable, qui a excité un* moi n° 2 à *détacher de soi un* moi *premier — comme une meule trop centrifugée ou une masse nébuleuse en rotation. Stabilité du système.* » (XVI, 45).

la citadelle de l'absolu

Si le Système fut l'ambition d'un langage où tout élément de l'expérience humaine possible recevrait son « équation », sa précise représentation, et qui définirait, sans reste, le champ de la connaissance, c'est au cœur même des notes où il s'est exercé et dans les textes qu'il travaille qu'il faudra en rechercher minutieusement la mise en œuvre [47] : on n'a prétendu ici que l'approcher. C'est dans les mots, les définitions, les métaphores qu'on découvrira ce qui au vrai ne fut rien d'autre que la pratique d'un discours, souvent intérieur, n'admettant que ce qui est constructible à partir d'images d'actes et de sensations. Hors de cela, n'y a-t-il donc rien que d'insignifiant, provisoire ou purement fiduciaire ? Valéry semble avoir voulu adhérer à la métaphysique de l'idée claire, transcrite, dans le Système et chez Descartes lui-même, en « pouvoir réel ».

Descartes. « Idées claires et distinctes ».
  Ceci est relatif à notre pouvoir.
Ceci conduit à construire une connaissance au moyen des éléments de notre pouvoir.
  D'ailleurs nous supposons invinciblement que toutes choses *réelles* ne sont *réelles* qu'en tant que ne contenant rien qui ne pût être représenté en

idées *nettes*. Le ne pouvant être conçu comme capable d'idées nettes n'*existe pas*. Il n'y a pas de *non net* en soi. (C, XIX, 859)

Mais Descartes n'a jamais prétendu réduire toute la réalité en idées claires et distinctes [48], et Valéry va plus loin qui, dans une trop évidente dénégation, frappe d'inexistence tout ce qui n'admet pas la netteté d'une expression absolue. C'est l' « *asepsie mortelle* » du Système (C, XXIX, 166) qui, on le sait, fut dans son principe une thérapeutique de la passion : remède qui se voulait radical, et dont le « caligulisme » et l'ambition de faire tenir toutes choses dans un *coup d'œil* n'est que la forme extrême, ou mythique [49]. L'effort de représentation est une défense, un moyen d'être maître chez soi en étant maître de son discours : « *Traduire (pour se défendre) en "absolu". Refuge, citadelle, que l'absolu !* » (XIII, 94). Ainsi, l'Absolu, ce lieu des lieux à la Descartes, n'est qu'une citadelle imaginaire où un Moi trop sensible tenta de se fortifier. Si elle se construisit de langage, c'est qu'aussi bien il s'est agi d'abord de faire taire un autre discours, qui, sous le nom d'*idée fixe*, se parla si souvent dans le Moi. Leitmotiv du Système, le « Que peut un homme ? » est le rappel à l'ordre qui tente de dissiper, comme ruse maligne, l'étrange apparition d'un Cogito de l'inconscient : « *Je pense, donc — il y a quelque chose (et non quelqu'un) qui est ; donc, il y a — autre chose qui dicte, souffle, assemble, ajuste, divise, élimine, assimile, appelle, refuse... Car* ce n'est pas Moi qui pense — *puisque si souvent ceci pense* contre Moi, me *fait souffrir* » (VIII, 484). Cette chose qui jusqu'au bout ne dira pas son nom [50], c'est elle qui déjoue le plus évidemment la volonté d'imposer à quoi que ce soit une forme absolue [51]. L'expression en « pouvoirs réels », par la référence à un corps qui n'est jamais que celui de la sensibilité particulière [52] et de l'acte volontaire, a des limites analogues à celles d'une construction par la règle et le compas [53]. Tout n'entre pas dans le Système, pas plus que toutes les courbes dans la *Géométrie* qui ne reçoit pas les transcendantes, et Valéry, qui reprend le mot pour en faire une image, sait bien que tout ne se définit pas en proportions exactes :

171

Transcendantes [54]
ou
hyperlogiques
Des Relations qui ne s'intègrent pas dans les formules du langage.

(C, X, 902)

L'Absolu n'épuise pas la vie : ce que signifie d'une autre façon cet Ange en larmes qui découvre dans la fontaine l' *« homo transcendens » (C, XXII, 821) *auquel il est lié* [55]. « *Il ne cessa de connaître et de ne pas comprendre.* » [56]. La douleur, l'angoisse, et ceci qui, en Moi, parle et les régénère, échappent à la projection sur l'Absolu. Et Valéry a vite fait cette découverte terrible que rien n'importe plus que ce qui ne peut se représenter : « *Une seule chose importe — celle qui se dérobe, infiniment, indéfiniment, à l'*analyse, — *ce rien, ce reste, cette décimale extrême* » (V, 10).

NOTES

SIGLES COMPLÉMENTAIRES

FN   « Fragments du Narcisse », pp. 122-30 in *Œ*, I.
VD   « Une Vue de Descartes » [*V* ; *Œ*, I].

*

1. Valéry s'est attardé sur l'illumination du 10 novembre 1619, relatée dans la *Vie de Descartes* par Baillet (*VD* ; I, 814). La nuit de Gênes d'octobre 1892, parfois datée de novembre, dont le récit est très postérieur à l'événement, ressemble à la nuit d'Ulm à l'image de laquelle peut-être son souvenir se modela. Ici et là, la crise s'acheva par un « coup d'état ».

2. *C*, XII, 160 ; *C*, XVIII, 55. Le rapprochement Descartes—Système est explicite en de très nombreuses occurrences. Fréquemment aussi, il se lit dans la contiguïté des notes. Je l'indiquerai à l'occasion.

3. *Cahiers, passim.* Valéry définit en ces termes son ambition : *« Tantum superans ceteros / Quantum cartesii veteres geom[etras] superare videntur »* (*C*, X, 21).

4. Comme Yvon Belaval l'a souligné à propos de la Méthode (*Leibniz, critique de Descartes* [Paris, Gallimard, 1960]).

5. Le Descartes de Valéry est surtout celui de la *Géométrie*, des *Principes* et des *Regulae*.

6. Valéry en exposait l'idée à Fourment en 1898 (*Corr. VF*, 145-51). À cette époque, il tente d'emprunter à Félix Klein la théorie des groupes pour mettre au point, dans une « théorie des opérations », une mathématisation de l'humain.

7. La relativité, écrit Valéry, ne fait qu'enrichir le système cartésien « *par l'adjonction d'une variable de plus* » (*VD* ; I. 820).

8. Pour Valéry, la véritable atteinte à Descartes, ce n'est pas Leibniz, mais le principe de Carnot qui « *contraignit la science à inscrire le signe fatal de l'*inégalité [...] *à côté de l'*égalité, *que le sens purement mathématique de Descartes avait pressentie* » (I, 803).

9. « *Jamais mon dessein ne s'est étendu plus avant que de tâcher à réformer mes propres pensées, et de bâtir dans un fonds qui est tout à moi.* » (*Discours de la Méthode, Œuvres et lettres* [Paris, Gallimard, « Bibl. de la Pléiade », 1953], p. 135). Cf. *C*, XII, 30. Valéry a fait sien ce projet de Descartes.

10. « Descartes », dossier inédit, fonds Valéry, Bibliothèque Nationale.

11. DESCARTES (*op. cit.*), pp. 39 et 42.

12. *Ce ne sont que des phénomènes mentaux*, cette formule de 1892 est souvent répétée dans les *Cahiers*.

13. Cf. *C*, VIII, 34 : « *Ce but* — REPRÉSENTER ce qui est, ce qui peut être. »

14. « Descartes », dossier inédit. Cf. *VD* ; I, 819.

15. Au sens mathématique du terme. Voir *C*, XI, 737 ; XX, 36, etc.

16. « *Ce " système " que j'appelle encore de ce nom S, entre moi, ou parfois l'*Absolu, *ou* Réduction à l'absolu, *consiste simplement, en principe, dans une sorte de projection de tout, ou de quoi que ce soit — sur le plan du moment* » (*C*, XVI, 322). Cf. *C*, XXIV, 770.

17. Valéry écrit en 1922 : « *Cette bizarre conception de la littérature que j'ai eue dès le début — [...] J'ai passé dix ans à chercher une langue " absolue " »* (*C*, IX, 23).

18. « *Le Moi en tant que* clé *d'un langage homogène — analogie avec une* géométrie cartésienne. » (*C*, XXVII, 44).

19. « *Descartes. Son idée = toute figure est ensemble de* points. *Un point est un accord de nombres — une relation numérique est un* point. *Mais ceci n'est possible que* [...] *si la figure et l'espace sont* vus *d'un point de sorte que* tous *les points sont déterminés par* un point. » (*C*, IX, 77). Cette note éclaire, par analogie, la place du Moi dans le Système.

20. « *En psychologie on est toujours conduit à placer un petit moi derrière le Moi — comme dans les figures naïves d'optique du Descartes — Or ceci peut être considéré en traité comme une condition.* » (*C*, XX, 37). Dans ses notes précédentes, Valéry expose son « but 92 » : « [...] *me rendre fini et connu* — [...]. *Il me vint l'idée d'une " analyse " qui permet de décrire toute pensée possible dans un langage ou un Système " absolu* — " (35-6).

21. ·Cf. *C*, VIII, 776 : « *Système de ma philosophie. Fondé sur le seul individu. Représentation de toutes choses rapportées EXPLICITEMENT à un point individuel. (" Moi ").* »

22. Il faudrait distinguer ici le Moi point, origine de coordonnées, qui conceptualise la position de l'observateur, en somme un point de vue ; et le Moi fonctionnel universel qui définit les axes, c'est-à-dire l'individu pensant, sentant, agissant, comparable au gros œil de la *Dioptrique*, derrière lequel est posté le petit homme. En aucun cas, il ne s'agit d'une personnalité avec son histoire et ses traits propres. La référence est le Moi et non l'Ego. On ne peut parler ici d'égotisme.

173

23. « *Ce sont les* sensations *pures et telles quelles, sans aucune signification —* qui constituent l'absolu. » (C, XV, 665). « *À la base de toute notre connaissance* sont les " paramètres " de la sensibilité » (XX, 863).

24. « *N[ou]s sommes contraints de réduire au MOI ou à l'individu — c'est-à-dire au sensible vrai et à l'agissable réel toutes choses.* » (*C*, XV, 675). Cf. *Ibid.*, 268 : « *Expression absolue ou irréductible. Ma " philosophie " n'est que la recherche de ces expressions mais au lieu des catégories qui dépendent du langage reçu, ou de notions d'origine biologique extérieure (instinct) et d'ailleurs au lieu de viser à la connaissance, soit logique, soit intuitive illimitée, elle vise à tout rapporter à sensations et actes — les deux grandes pentes ou grands versants du vivant.* » On pourrait multiplier les citations. La même idée est présente au début des *Cahiers* mais les références sont alors sensation et pensée : « *La méthode consiste à distinguer nettement les vraies choses existantes c'est-à-dire sensation et pensée (ou images et leurs variations) et à tout traduire dans ce langage et dans les opérations abstraites de ce langage* » (I, 237).

25. Je cite la note qui précède : « *L'idée géniale de Descartes fut de s'adresser au* point, *élément universel — Notion du point.* » (*C*, VIII, 752).

26. Voir *C*, XV, 375 ; XIX, 803 : « *Descartes [...]. La nouveauté fut la rentrée de* l'homme *dans la philosophie. Et la vieille mesure des choses [...]. Méthode, c'est lui* ».

27. On sait que cette quête ne devait pas véritablement aboutir.

28. « *Mon " Cogito " — Il est inscrit dans la* Soirée avec M. Teste — — — " Que peut un homme ? " Et l'idée maîtresse de mon " Système " — est là — » (*C*, XXIV, 595).

29. Voir *C*, XX, 36.

30. « *Le Système consiste à tout traduire en langage " homogène " — fini — " réel " conduisant toujours rapidement à des actes ou à des sensations.* » (*C*, XII, 186). C'est dans cette perspective qu'il faut replacer le principe du fini, si important dès le début de la réflexion valéryenne. Le langage absolu est « formellement *fermé* », parce que fondé sur un petit nombre de variables ou de concepts, mais « significativement non borné » (XX, 105).

31. « *Mon système est un dictionnaire.* » (*C*, XIII, 823).

32. Délicat à saisir dans sa réalisation, le lien analogique entre le dictionnaire absolu et la représentation cartésienne des courbes est clairement indiqué dans son projet. Il s'agit d' « *assimiler à un point un objet quelconque de connaissance* » (*C*, IX, 729), « *l'espace de ces points* » étant les pouvoirs réels d'un Moi. Chaque point appartient à une courbe représentée par une équation (*C*, X, 892), qui devient dans le dictionnaire une notion générale (je propose ici *l'échange égal* et la *rotation*). Il est donc un usage particulier de la notion (pour l'échange égal par exemple l'amour, l'émotion esthétique), défini par ses « projections » sur les axes : les « définitions absolues » du dictionnaire sont en quelque sorte ses coordonnées. Voir *C*, XX, 223, où Valéry, après une note sur Descartes, écrit : « *ANALOGIE Le langage tel quel comparé à la géométrie des anciens. Je cherche un langage fait des " projections "* [Ajout marginal : « *C'est-à-dire* définitions »] *des mots ou propositions intrinsèques sur un réseau ou un système de constituants psychiques bien choisis.* »

33. Voir *C,* IX, 144. Valéry conservera le rapport C.E.M.—Moi, mais il ne semble pas intervenir directement dans l'élaboration du langage absolu.

34. « *Se faire un principe de représentation générale* limite *(que j'ai appelé absolu) qui fut indépendant de toutes les variations de la physique — mais admettant des sciences toutes manières de voir en tant que telles* [...] *mais* [...] *n'en retenant que des actes et des relations* » (*C,* XIII, 297).

35. Voir *C,* XVI, 44 et *Œ,* I, 802.

36. Voir *C,* XXVI, 215 ; XXVII, 450.

37. Voir *C,* XVIII, 445.

38. Les analyses valéryennes font constamment appel à cette notion.

39. C'est-à-dire dans ce cas une droite.

40. *Alphabet,* texte « B ».

41. Je vois là un exemple de « définition absolue ».

42. Voir *C,* XXV, 342.

43. « Philosophie de la danse », I, 1396.

44. Vertige, c'est-à-dire sensation.

45. Concept fréquemment utilisé pour désigner le Moi et que Descartes introduisit pour résoudre le problème du calcul de l'aire de la cycloïde. Ce n'est peut-être pas un hasard si Valéry utilise volontiers comme images du Moi des inventions cartésiennes (le centre instantané de rotation, la mise en équation par l'égalité à zéro).

46. Comme dans les autres définitions, il y a forces, sensations, image scientifique.

47. Il faudrait, par exemple, examiner des problèmes de ce genre : « *Par quelles productions psycho-motrices, avec images de choses au besoin, remplacer le nom* Temps *dans tel ou tel emploi ?* » (*C,* XXVIII, 76).

48. « *Descartes* [...] *a seulement voulu obtenir de tous les éléments du réel* [...] *qu'ils présentent leurs lettres de créance à une connaissance claire et distincte.* » (Jules VUILLEMIN, *Mathématiques et métaphysique chez Descartes* [Paris, P.U.F., 1960], p. 96).

49. Une note de 1922 montre assez nettement l'ensemble de cette problématique : « *Faire tenir toutes choses dans un coup d'œil, — c'est le désir de l'esprit — et en quoi il est semblable à cet empereur qui regrettait que le genre humain n'eût pas une seule tête à lui tout entier —*
Il y a donc comme idéal, *ce coup d'œil ; et comme objet de nos pensées, la recherche de la correspondance de toutes choses à un instant de conscience, et si cela est concevable. Et si cela semble trop difficile essayer encore à établir la correspondance de ce tout (qui n'est point un tout d'énumération, mais un tout de possibilités) à quelque chose de plus qu'un* coup d'œil — *qui est le Corps vivant duquel le* coup d'œil *est l'acte.* » (*C,* IX, 319-20).

50. On sait que les *Cahiers* se concluent, ou presque, sur le manque d'un mot (*C,* XXIX, 908).

51. Dans une note qui s'achève de façon significative par une question sans réponse, Valéry compare tout système à « *une belle plante du Connaître* » qui

croît selon la loi de sa forme : « Tu n'épuiseras pas le monde, mais toi-même — [...] *Tu pressens ta forme, tu ressens les forces de cette forme. Puisque tu es né, il faut changer en elle et en ta substance, ce qui t'entoure. Traduire en toi le non toi — comme par osmose et choix. Gagner en masse et en étendue — jusqu'où ?* » (*C*, VIII, 629-30).

52. Le corps du Système n'est que celui de la motricité et des sens spécialisés. Ce que Valéry appelle la « sensibilité générale », dont dépend en particulier la souffrance, est ici exclu.

53. Image que Valéry emploie à propos du « *Que peut un homme ?* » (*C*, XI, 224). La *Géométrie* cartésienne ne se borne pas à cette construction, qui est celle des Anciens. Mais elle exclut les courbes transcendantes « *à cause qu'on les imagine décrites par deux mouvements séparés, et qui n'ont entre eux aucun rapport que l'on puisse mesurer exactement* » (DESCARTES, *op. cit.*, p. 247). La *Géométrie* n'admet que les proportions exactes.

54. Le mot, chez Valéry, a le plus souvent son sens mathématique, et renvoie soit aux nombres transcendants, soit aux courbes transcendantes. La « transcendance » est pour lui la composition des ordres de grandeur qui s'excluent.

55. L'Ange est la figure des limites du Système, de l'échec de la « *tentative de concevoir* vie *intellectuelle comme enveloppant* réellement *vie réelle* » (*C*, XIV, 695).

56. « L'Ange », I, 206. Le « connaître », c'est le domaine du Système. Le « ne pas comprendre », celui de cette vie qui ne se rend pas à la pensée, et de ces larmes qui sont chez Valéry le symbole de ce qui ne se peut exprimer, de ce qui échappe à tout langage, qu'il soit ou non absolu.

APPROCHE DU SYSTÈME

Table ronde

animée par Ned BASTET

M. BASTET. — Avant d'ouvrir le débat, je voudrais dire d'abord combien je me réjouis de son interdisciplinarité, et de la présence, parmi les littéraires que nous sommes, de scientifiques et de médecins intéressés par une pensée qui s'est voulue scientifique.

Le problème se pose d'entrée de jeu : faut-il systématiser une table ronde sur le « Système », ou bien la laisser relativement ouverte, et, à l'exemple de Valéry lui-même (fut-ce d'ailleurs chez lui pis aller de la résignation ou solution positive ?), finir par remplacer l'impossible vision d'une totalité par une succession d'aphorismes, ou, tout au moins, par la convergence d'un certain nombre de points de vue, de tâtonnements, d'essais, qui ne répondent sans doute pas au rêve initial d'un système parfaitement clos sur lui-même, foyer lumineux de la réfringence absolue, où tout point répondrait symétriquement à tout autre dans une unité sans faille ? Nous constatons, en fait, à travers les *Cahiers*, que le « Système » se présente sous une forme infiniment éclatée, ce qui ne veut pas dire incohérente. Ainsi, toute discussion sur le « Système » devrait-elle se situer entre ces deux pôles : d'une part, la fascination, la projection au départ, par Valéry, du concept même de « Système » et de la fonction que ce concept a pu jouer

177

pour sa pensée et, peut-être plus profondément encore, pour sa personnalité ; et d'un autre côté, les multiples tentatives concrètes pour fabriquer les instruments et les modalités, les moyens de ce « Système », à travers un certain nombre de concepts qui se sont élaborés selon un ordre chronologique, qui sont venus à différents moments, se sont conjugués, remplacés, et dont nous venons d'avoir des analyses brillantes et précises.

Je propose donc (ce n'est pas du tout, encore une fois, 'une vision systématique des choses) que l'on s'interroge sur la fonction même du « Système », sur l'idée de « Système », et, d'autre part, sur les divers instruments de ce « Système » qui ont été íci définis, sur leur compatibilité entre eux, leurs rapports avec un certain nombre de théories scientifiques qui ont permis à Valéry de les élaborer, pour aboutir au problème de la connaissance et, comme l'ont montré Nicole Celeyrette et Jeannine Jallat, aux rapports fondamentaux de la connaissance et du corps. Nous pouvons nous demander, également, face à cette aventure de l'esprit humain dont Valéry a eu une conscience si aiguë, dans quelle mesure des médecins, des mathématiciens peuvent estimer à leur tour que ces instruments forgés par lui ont valeur d'avenir, sont effectivement exploitables par la pensée actuelle.

Mais je pense qu'il serait incomplet de se demander simplement quels sont les instruments élaborés par Valéry et ce qu'ils valent. Je crois qu'il y a une autre question fondamentale, qui est de savoir pourquoi il les a élaborés. La démarche fondamentale de Valéry ne me paraît pas pour l'essentiel se réduire à une quête de la connaissance pure : ce n'est pas quelqu'un qui a simplement voulu savoir, c'est quelqu'un qui a voulu savoir pour des raisons qui tenaient très profondément à sa situation intérieure. Je crois que, là aussi, il y a un certain nombre de problèmes, sur lesquels ont débouché pratiquement toutes vos interventions. On a dit — avec Valéry lui-même — à quel point toute son aventure intellectuelle avait été liée au besoin de défendre « la substance de son esprit » contre des troubles intolérables. Mais certaines interventions, comme celle de Jeannine Jallat, ont entrepris de saisir ce qu'il y avait de plus obscur encore derrière l'intention consciente d'inaugurer une sorte de psychanalyse des structures de la connaissance et de la pensée abstraite. Quel a été alors le succès de cette ascèse pour Valéry lui-même ? Quels ont été aussi les rapports de ce recours thérapeuthique au « Système » avec les autres solutions, la poésie, par exemple, et ce que Simon Lantiéri appelait « l'ontologie du corps ».

C'est là un schéma de discussion que je propose, ou, à tout le moins, les divers ordres de problèmes que nous ne manquerons pas de rencontrer, chemin faisant.

Mme LAURENTI. — À la suite de ce que vous venez de dire, j'émets une idée qui appelle la discussion. Ce « Système » valéryen, en fin de compte, je crois qu'il n'aboutit et ne peut aboutir ni à un système fermé, ni à un échec, qu'il n'ambitionne même pas le système fermé, sauf au début dans la mesure où croire à cette illusion était encore possible, mais qu'il se situe dans le discontinu, tout comme Valéry voit se situer la pensée. Ne croyez-vous pas que, s'il reste à l'état fragmentaire, c'est peut-être parce qu'il ne pouvait pas se construire ? Je pense que Valéry en avait conscience, quand il poussait la recherche d'un certain nombre d'explications jusqu'au seuil qu'il connaissait fort bien. Les données n'étant jamais complètes, le « Système », si « Système » il y a, ne peut se construire que de fragments.

Mlle JALLAT. — Il y a au contraire, me semble-t-il, une volonté de cohérence dans la mesure où précisément, dès qu'il trouve un nouveau modèle, il essaie de voir ce qu'il doit faire des précédents, comment il peut les ajuster. Mais sur ce point, ce serait plutôt à Nicole Celeyrette de répondre.

Mme CELEYRETTE. — En fait, la volonté de Valéry, c'est de réduire l'hétérogène. « Ma psychologie, dit-il, est l'ensemble le plus hétérogène qui soit, et il s'agit de réduire cet hétérogène à l'homogène. » Toute ses recherches tendent à ce but, et il essaie différents modèles qui sont autant de visions unitaires : la théorie des groupes, puis le modèle cartésien, etc. Il a très certainement le désir d'établir une cohérence, mais elle devrait être la synthèse-limite de tous les modèles possibles, chacun étant insuffisant.

179

Mme L<small>AURENTI</small>. — Je suis tout à fait d'accord en ce qui concerne les intentions de Valéry. Mais ce que je veux dire c'est que, dans sa méthode d'approche, il semble chercher, en même temps, à préserver la diversité des éléments. Ou peut-être ne peut-il faire autrement ? Cet hétérogène, il est là, il demeure, il est un fait, — et l'analyse se porte successivement sur chacun de ses éléments.

Mlle J<small>ALLAT</small>. — Son travail lui permet précisément de composer l'hétérogène. Il se situe à un niveau de généralité très grande. Et justement ce que disait Mlle Cazeault me posait un problème, car lorsque Valéry parle d'opérations, il me semble que le modèle scientifique est tout à fait présent là derrière : en fait, il essaie d'envisager les phénomènes psychologiques à un niveau de généralité qui est celui de la théorie des groupes. C'est-à-dire que, de même que l'addition est l'opération dans le groupe des entiers, de la même façon, il cherche à définir une opération, qui serait, disons, la substitutivité, au niveau des phénomènes mentaux.

Mlle C<small>AZEAULT</small>. — Personnellement, je crois qu'il faut pousser plus loin la question, et dire que ce qui serait important, c'est qu'il y ait homogénéité. Or, lorsque Valéry essaie de trouver cette homogénéité, tout ce qu'il trouve, c'est quelque chose qui est intraduisible à cause des problèmes de connaissance qui sont posés. Et là, je reviens à ma question des « vrais pouvoirs ». Finalement, en 1902, les « vrais pouvoirs », il les trouve en théorie. C'est tout ce qui est conscient et volontaire. Mais qu'est-ce qui est conscient et volontaire ? Et comment retrouver le conscient et le volontaire dans un être capable de toute hétérogénéité donnée ? Je pense que c'est là le dynamisme de la pensée valéryenne, dynamisme qui finit peut-être par faire de Valéry un philosophe. Car il pose un problème de philosophie : comment exprimer rationnellement un être qui en lui-même, parce qu'il est un être, n'est pas totalement rationalisable ?

M. B<small>ELAVAL</small>. — Je me demande si nous n'allons pas trop vite, et s'il ne faudrait pas essayer de rappeler d'abord des notions ultra élémentaires sur l'idée même de « système ». Ce qui caractérise à mon sens un système c'est qu'il doit être rédigé, en quelque langue que ce soit, y compris la langue mathématique. C'est donc à ce niveau que nous devons nous mettre.

Traditionnellement, on a toujours distingué deux types de systèmes, que nous avons retrouvés ce matin dans les propos de M. Kaufmann, et on les retrouvera toujours nécessairement en cherchant la cohérence avant tout. Il y a deux types de cohérence (remarquez qu'ils sont inséparables, nous y reviendrons) : le premier est celui de Descartes, dont on a parlé, où l'on peut suivre ces longues chaînes de raisons dont les géomètres ont coutume de se servir. Le système se définit ici par la cohérence d'une chaîne d'ordre de raison linéaire, tel, chez Descartes, que, si je pose la suite *A, B, C, D, E, F,* je ne peux pas comprendre *B* si je n'ai pas *A*, je ne peux pas comprendre *C* si je n'ai pas tout ce qui précède, et ainsi de suite. C'est, si vous voulez, le « *more geometrico* » de Spinoza. Il y a une autre manière de définir le système : au lieu de cette causalité linéaire, qui est au fond un modèle mécanique, on aurait affaire à une causalité en étoile, celle que M. Kaufmann appelait parallèle. Cette fois, on essaie d'organiser, si j'ose dire, un ensemble d'ensembles, ou de sous-ensembles, et le modèle rejoint alors l'étymologie du mot *système* c'est-à-dire l'organisme. La différence est que tout se tient, d'après la méthode d'Hippocrate : ce qui est aux pieds retentit dans la tête, ou encore, comme disait Diderot, il suffit à un médecin ou à un dieu de voir l'orteil d'une statue pour reconstituer toute la statue. C'est là un modèle organique du système, et je crois qu'il faut, pour y voir clair, distinguer ces deux modèles l'un de l'autre.

C'est ici que nous retrouverions les sous-ensembles flous. Car l'ensemble cantorien convenait très bien tant qu'on était dans la pure abstraction, qu'il n'y avait pas de significations, mais seulement de l'opératoire pur. Mais dès qu'on fait intervenir la sémantique, de quelque façon qu'on l'entende, alors on entre nécessairement dans les ensembles flous. Et si nous devions parler d'un « système » de Valéry, ce serait tout au plus, à mon sens, avec une formalisation par les ensembles flous.

On retrouverait alors cette idée de « fonction » qui a hanté ce colloque (Mme Laurenti et Mlle Cazeault en ont traité, au fond, l'une et l'autre). Qu'est-ce qu'une fonction ? En mathématique, la fonction a été introduite en 1675 par Leibniz, qui continuait l'effort généralisateur de Descartes. Descartes avait apporté en mathématique quelque chose de capital : l'équation (mettre tout d'un côté et l'égaler à zéro). Leibniz, généralisant encore, pose : $y = (f)x$. Voilà pour la fonction au sens mathématique. — Le deuxième sens, c'est évidemment la fonction au sens organique, au sens du « formel » dont nous avons parlé hier ; je n'y reviendrai pas.

Je voudrais évidemment pouvoir discuter pendant des heures avec M. Kaufmann. Car les sous-ensembles flous, vous savez, commencent à pénétrer dans les mœurs. Je n'en voudrais pour preuve que les travaux de mon collègue et ami Michel Serres, sur Zola par exemple. C'est une nouvelle épistémologie, qui s'oppose à l'épistémologie traditionnelle où l'on partait de concepts bien définis, scientifiques, comme dans la théorie des ensembles on partait d'abord d'ensembles parfaitement définis et, je dirai, arithmétiques en quelque sorte. Mais cela nous entraînerait bien loin.

M. Kauffmann. — Il conviendrait, je crois, que je réponde, pour ne pas laisser se perdre tant de questions intéressantes.

M. Belaval. — Auparavant, je voudrais vous en poser une : « Qu'est-ce qui est flou ? L'opératoire ou l'objet lui-même ? »

M. Kauffmann. — Généralement, ce sont les objets ; les opérations ne le sont pas. On peut imaginer des opérations floues. Mais dans les mécanismes de la pensée humaine tels qu'on a pu les déceler au cours d'expériences faites dans un but didactique, on s'est aperçu que c'était non les ensembles, mais les sous-ensembles qui étaient flous. Parce que les référentiels, c'est-à-dire ce qui existe, ne sont pas flous ; c'est notre perception qui est floue, et donc ce sont les sous-ensembles que nous percevons qui sont flous. Sans quoi nous n'aurions que des mécanismes programmés. L'animal ne possède que très faiblement cette faculté, ou pas du tout ; c'est pourquoi il ne dispose pas de l'imagination.

Je voudrais aussi, pour répondre aux intéressantes questions que vous avez soulevées, dire ceci au sujet du mot *système* : il est assez remarquable que celui qui a imaginé la théorie mathématique des sous-ensembles flous, le professeur Zadeh, est un grand spécialiste des systèmes. Il en est venu à repenser cette théorie parce qu'il en avait besoin pour comprendre la notion de système, et cela tout à fait dans le même sens (bien qu'il emploie des mots différents) et avec le même support que vous utilisez dans votre réflexion et votre travail de recherche. Je crois que cela est important.

Un autre aspect qu'il me semble intéressant de souligner, c'est le problème des « fonctions ». Ce mot, lui aussi, est employé dans différentes disciplines avec des variantes dans ses significations, bien qu'elles soient assez voisines. Mais on en est arrivé maintenant à considérer le mot *fonction* à partir d'une représentation élargie — et c'est peut-être à cause de l'informatique, encore une fois. L'informatique a amené bien des problèmes, mais elle a aussi obligé à chercher ce qu'il y avait au-delà du pouvoir des mots. En particulier pour le mot *fonction*. On s'est aperçu, quand on a voulu faire passer des fonctions sur les machines, que ce n'était pas autre chose que la représentation d'une relation de causalité : si x, alors y. Dans les mathématiques formelles, celles que nous avons l'habitude de manipuler, depuis toujours, x est une donnée bien précise et y doit être aussi une donnée bien précise. Mais si on veut passer aux sous-ensembles flous, il se peut très bien que x ne soit pas une donnée, mais un sous-ensemble de données avec une valuation de chacun des éléments, que y lui-même soit de cette nature, et que la relation de causalité, au lieu d'être une relation formelle, c'est-à-dire ne contenant que des 1 et des 0, contienne elle aussi des valeurs (on prend ici l'intervalle de 0 à 1 par commodité). On trouve alors un système de relations de causalité qui généralise la notion de fonction. Et cela a un intérêt dans presque toutes les disciplines. Dans nos mécanismes de causalité, il est assez rare que l'on en soit au point d'avoir fait tomber complètement l'entropie, c'est-à-dire qu'il n'y ait absolument plus de désordre, que la cause soit parfaitement bien spécifiée. Généralement, dans nos mécanismes de pensée, fondés sur une perception, nous avons quelque chose de flou. Ce qui fait que le système de relations auquel on a affaire est un système de relations floues et ses fonctions sont donc des relations de causalité de la nature que j'ai décrite. En médecine par exemple, les mécanismes du diagnostic médical sont tels que dans certains cas on peut trouver des signes parfaitement bien spécifiés (à la limite ce peut être des mesures), mais aussi d'autres signes de nature floue. Une relation existe : c'est celle de l'opérateur humain d'un côté, en l'occurrence le médecin, qui va interpréter les signes, et de l'autre côté le diagnostic, l'ensemble des résultats, qui ne va pas se placer forcément de façon formelle. Il y a là un système qui s'explique nécessairement par des relations floues.

M. BELAVAL. — Puis-je poser une question à la fois au mathématicien et au médecin ? Mlle Jallat a fait constamment appel aux notions de continuité et d'homogénéité. On dirait que l'étude des fonctions s'arrête à d'Alembert. Depuis, on a avancé, n'est-ce pas, et la continuité n'est plus du tout la même chose, et l'homogénéité non plus. Je pense qu'en médecine il doit y avoir là une espèce de distorsion de la notion non organique de la fonction, si on voulait la formaliser mathématiquement.

M. MANDIN. — En médecine et en physiologie, fonction et système sont complètement différents de la sémantique utilisée jusqu'à présent. Pour ma part, je vois surtout ces deux mots en fonction de mes habitudes de penser et d'agir. Vous parlez de causalité : si x, alors y. En fait, le corps humain peut être envisagé d'un point de vue cybernétique : si x a telle ou telle valeur qui augmente automatiquement, par *feed-back* négatif, y va diminuer. Je ne crois pas que, du temps de Valéry, ces notions élémentaires, mais fondamentales, aient été bien connues.

Mais il est une notion qu'on retrouve dans plusieurs de ses textes et tout au long des *Cahiers* : c'est celle par laquelle il définit l'homme comme $\varphi \, \psi$ (physique/psychique), et pose la relation CEM (Corps/Esprit/Monde). Cela me rappelle l'enseignement donné aux étudiants de première année de médecine. Nous leur disons : H (l'Homme) = ΨSM (est un complexe *Psycho-Soma-tique* vivant dans un *M*ilieu), et vous ne serez pas un bon médecin si vous ne tenez pas compte *à la fois* de la psyché, du sôma et du milieu. Je crois que par là on rejoint un peu l'homme global que pressentait Valéry.

M. KAUFMANN. — Je voudrais souligner encore une chose à propos de l'emploi du concept de la causalité. Quand on a une relation de causalité formelle ou vulgaire, le *feed-back* peut ne pas exister. Mais si on a une relation de causalité floue, il y a toujours *feed-back*. On peut le démontrer mathématiquement, c'est d'ailleurs une découverte récente. On a découvert que, si on peut défi-nir ou du moins analyser une relation de causalité floue, il y a tou-jours une relation de causalité inverse, avec cette particularité que son entropie est toujours plus grande. À la limite on pourrait défi-nir cela pour le cas des relations de causalité formelle, puisque si la relation de causalité formelle n'est pas telle qu'à une chose corres-pond une et une seule chose (auquel cas la relation inverse existe tout de suite), on va rencontrer ce phénomène. Cela a un très grand intérêt dans beaucoup de recherches, en particulier dans les recherches sur le diagnostic médical et en didactique. N'oublions pas qu'un des problèmes les plus importants qui se posent mainte-nant à la société humaine est celui d'une didactique de masse. Puisque, au nom de la justice sociale, on veut que tout le monde ait droit à une bonne didactique, et que cette didactique va, pour faire face à ce problème de masse, s'accompagner de moyens tech-nologiques, il faut approfondir tous les mécanismes de la pensée humaine dans sa communication, en particulier la façon dont nous percevons, la facon dont nous prenons des décisions et la façon dont se produisent les relations de causalité. On peut donc utiliser cette nouvelle méthode mathématique, qui a ses origines dans les travaux de savants qui avaient pressenti tout cela il y a quarante ou cinquante ans et avaient même donné des bases sur les logiques multivalentes, extrêmement importantes et qui nous servent maintenant, mais sans savoir au fond si cela servirait un jour. On s'aperçoit aujourd'hui que cela peut rendre de grands services pour étudier les mécanismes de la pensée. Aussi ai-je été extrêmement sensible à l'invitation qu'on m'a faite de participer à un séminaire sur Valéry, parce que je savais qu'il avait de son côté jeté les bases, à une époque où les mathématiciens y pensaient aussi, d'une recherche sur ces mécanismes de la pensée que nous devons analyser pour mieux nous comprendre et nous en servir correctement ; faute de quoi, nous n'allons plus pouvoir communiquer, ne serait-ce que dans un travail pluridisciplinaire.

M. BELAVAL. — Si vous me permettez de conclure d'un mot, je dirai qu'à mon avis il n'y a pas de « système » de Valéry, parce qu'il n'entre ni dans l'une ni dans l'autre définition du système que j'ai données. Vous ne pouvez pas déduire toute l'œuvre de Valéry à partir d'une certaine page, « *more geometrico* ». Mais d'autre part, le deuxième sens du mot signifie que vous ne pouvez rien changer à un ensemble sans que cela retentisse sur tous les autres : c'est une sorte de modèle monadologique. Or, si vous oubliez de lire tel ou tel texte de Valéry, vous n'en êtes pas gêné. La preuve, c'est que l'intérêt de ce colloque est de nous avoir révélé un Valéry que nous ne connaissions pas. Et je crois finalement que ce qu'il appelle « Système », c'est au fond la permanence d'une méthode. Et là, effectivement, vous ne pouvez pas changer la méthode de Valéry, sinon vous changeriez ses résultats.

Un dernier mot : Mlle Cazeault s'interrogeait sur ce qu'était le « pouvoir mental ». Je crois que la réponse que vous aurait faite Valéry, c'est celle de Peirce quand on lui demandait ce que c'était que la force. Il répondait : la force, c'est la lettre *F* telle que l'emploient les physiciens ; elle se définit par l'ensemble de ses lois et de ses effets. D'où l'importance de la fonction. Il ne faut pas substantialiser cette idée de « pouvoir mental ». Et c'est pourquoi Valéry cherche si patiemment une méthode : il veut définir ce « pouvoir mental » par l'ensemble de ses effets volontaires.

Mlle CAZEAULT. — C'est justement le sens de la question que j'ai posée ici, et qui au fond était double : « Qu'est-ce que ce " pouvoir mental ", mais aussi que sont ces " vrais pouvoirs " ? » Je pense que, quand Valéry parle de « vrais pouvoirs », un problème se pose. Et si on reprend ce problème-là dans les termes que je crois être ceux de Valéry, je dirai que sa méthode est peut-être fondée sur l'exercice d'une activité de l'esprit, qui peut se répéter, à la limite qui est capable de faux, et que ce qu'il cherche, lui, c'est de pouvoir définir ce qui est vrai dans cette activité. Et là je pense qu'il y a un problème, qui n'est peut-être pas celui d'un système, mais qui est certainement celui d'une philosophie.

M. MOUTOTE. — J'hésite à prendre la parole dans ce débat de philosophes. Pourtant, me souvenant que Valéry n'était ni médecin, ni philosophe, mais plutôt littéraire, je me risque tout de même à dire un mot. Je vois dans les réflexions des philosophes que Valéry n'aura jamais de système. Le philosophe bâtit un bel édifice de concepts. De même le cybernéticien, par ses ensembles, essaie de chercher une description aussi rigoureuse et scientifique que possible, mais en même temps aussi approchée que possible du concret, et fait intervenir des effets de *feed-back*. Mais il y a une différence fondamentale entre ce que Valéry pratique et ce que le cyberbéticien peut obtenir par ses répétitions : c'est une machine qui se remet en cause. Parce qu'enfin c'est là le propre du « Système » de Valéry. Les littéraires sont plutôt des inquiets à la recherche d'un sens que des dispensateurs d'un sens. C'était éminemment, je crois, le cas de Valéry. S'il a écrit pendant cinquante ans ses *Cahiers*, c'est précisément parce qu'il était très difficile d'atteindre ce qu'il voulait atteindre. Et d'ailleurs, comme l'expliquait un jour Ned Bastet, il reste peu de temps sur un sujet. Ses développements sont toujours courts et perpétuellement récurrents, perpétuellement changeants. Il me semble que Valéry cherche plutôt à atteindre la représentation de cette réalité humaine que j'appelle le Moi, que lui-même désigne de différentes formules. Réalité qui se dérobe, qui se remet en cause, qui invente, qui refuse. Dans les définitions qu'il donne de la vie de la pensée, je vois qu'il cherche à atteindre ce qui précisément change, ce pouvoir d'invention qui est l'étrange liberté humaine — pouvoir de raturer et d'aller plus loin. C'est une merveilleuse machine que j'appelle de ce mot vague, le Moi, que je voudrais mettre à l'origine de toute invention littéraire. C'est le sens que je voudrais donner à la recherche égotiste. Voilà ce que le littéraire Valéry cherche à atteindre ; et quand il dit : « Mon Système ; c'est moi », peut-être est-ce ce système vivant, récurrent, capable de se remettre en question. C'est-à-dire que chaque fois qu'il invente une idée, il faut qu'il se l'adapte et elle modifie tout l'ensemble. C'est pourquoi il a voulu faire un traité de l'entraînement. Sa philosophie, il l'a dit, est gymnastique. Il veut aboutir non à des idées, mais à une sorte de vélocité, de « plasticité » de l'esprit. Je ne dis pas que ce soit là un « système » ; et peut-être la meilleure approche n'est-elle pas un système. C'est beaucoup plus complexe : Valéry cherche à intégrer une variante qu'aucun système ne peut introduire, cette auto-remise en question, cette variation fondamentale.

M. Kaufmann. — Je pourrais donner, au sujet du pouvoir d'imagination et des processus de découverte, quelques résultats obtenus dans le laboratoire auquel je collabore à Louvain pour des recherches concernant la didactique. Des expériences individuelles et en groupes, portant sur les milliers d'étudiants qui ont bien voulu s'y prêter avec quelques professeurs, nous ont amenés à un certain nombre de découvertes. D'abord nous avons pu vérifier ce qu'on peut comprendre intuitivement, que la créativité, de quel ordre qu'elle soit, artistique, littéraire, scientifique, ne se fait qu'à l'intérieur d'une plage d'entropie. Entendons par là que si l'individu est trop structuré, il ne découvre rien, s'il ne l'est pas assez il ne découvre rien non plus. Résultat expérimental auquel nous n'avons encore pas trouvé d'explications satisfaisantes du point de vue scientifique.

Au cours de ces expériences, nous avons découvert une deuxième loi, celle de l'alternance. Nous nous sommes aperçus que ce n'était pas le tout d'être à l'intérieur d'une plage d'entropie pour découvrir, et qu'il fallait qu'il y ait des alternances de structuration et de déstructuration, et que l'imagination était au fond une faculté. Ceci toujours sans être capable d'expliquer pourquoi. Il y a enfin une troisième règle, que peut-être un jour des psychologues, des psychiatres, des neurologues pourront expliquer, c'est la règle d'adaptation de l'alternance. Si, en structurant, nous suivons un rythme d'alternance qui ne corresponde pas à la personnalité de l'individu, il n'y a pas de découverte, au contraire il dort ou s'énerve, devient anxieux. Tandis que si nous arrivons à réaliser, pour l'individu ou pour le groupe, le rythme d'alternance qui lui convient, il y a une véritable sortie d'idées nouvelles de l'inconscient. En ce moment, nous essayons de voir si cette idée de variation à l'intérieur de la plage d'entropie peut avoir un support mathématique. Jusqu'à maintenant nous en avons trouvé un à partir des relations de ressemblance. Par cette méthode on arrive à obtenir beaucoup plus facilement un transfert de l'inconscient vers le conscient de toutes sortes d'idées que nous gardons en réserve sans les employer. Autrement dit, ceci a un pouvoir multiplicateur de l'imagination.

M. BELAVAL. — C'est triste, ce que vous venez de dire là, Monsieur. C'est très triste pour les progrès de la science. Car enfin vous travaillez avec ces ordinateurs de Louvain et au fond, ce que vous avez trouvé, c'est ce qui figure dans un article de 1930 de Claparède, « La Psychologie de l'invention ». C'est un très long article, avec des diagrammes, et la conclusion en est qu'on ne sait pas comment les idées neuves nous arrivent. Et cela Malebranche le savait aussi. Et c'est encore inexplicable.

Mme ROBINSON. — Je voudrais répondre sur quelques points précis, d'abord au Professeur Mandin. Vous avez dit que certains concepts manquaient malheureusement à Valéry, par exemple la théorie de l'information, la cybernétique et la notion de *feed-back*. Il faudrait distinguer à ce propos entre les concepts et les termes employés pour les évoquer. Car Valéry a fort bien pressenti ces trois notions, comme je l'ai fait remarquer dans ma communication, et en particulier celle de *feed-back*. J'en avais d'ailleurs assez longuement parlé dans mon premier ouvrage sur Valéry, *L'Analyse de l'esprit dans les « Cahiers »*, où j'avais souligné l'extrême importance que, tout comme les physiologistes et les cybernéticiens, il accorde à la notion de *feed-back*, au processus de rétroaction dans la vie physique et mentale de l'homme, processus qui corrige les écarts, les ruptures d'équilibre, les instabilités introduites dans le système psycho-physique par telle ou telle intervention venue soit de l'intérieur, soit de l'extérieur. C'est une idée capitale chez Valéry, qui m'a beaucoup frappée à l'époque où je fréquentais les cybernéticiens anglais. J'attire votre attention sur le grand intérêt que présentent non seulement le fait que cette idée existe chez Valéry, mais encore les formulations très précises qu'on en trouve dans les *Cahiers*.

Je voudrais maintenant essayer de répondre très rapidement à la question que Mlle Cazeault reprend à Teste (« Que peut un homme ? ») sous la forme suivante : « Quel est le pouvoir réel de l'esprit selon Valéry ? » Ce qui me frappe dans les recherches du « Système », c'est qu'il a souvent essayé de définir les pouvoirs de l'esprit par leurs limites, c'est-à-dire par un processus d'élimination de ses « non-pouvoirs », des bornes de la capacité mentale contre lesquelles la pensée en acte ne cesse de buter. C'était là une voie de recherche très fructueuse, et pour voir la multiplicité et la richesse des réflexions de Valéry à ce sujet, on n'a qu'à regarder dans l'index analytique du deuxième tome de mon édition des *Cahiers* au mot LIMITES : on y trouve de nombreux renvois à des passages d'une extrême précision dans l'analyse du détail du fonctionnement mental et physiologique et des facteurs qui lui imposent, justement, des limites. C'est encore un problème que j'ai essayé d'aborder dans *L'Analyse de l'esprit dans les « Cahiers »*, et je pense que c'est un des aspects les plus originaux et les plus stimulants de la pensée de Valéry. Il s'agit donc de définir la capacité de l'esprit non pas par ce qu'il peut faire, mais par ce qu'il ne peut *pas* faire. Cela me rappelle une conversation que j'ai eue avec le cybernéticien Grey Walter sur ce qui le frappait le plus devant le phénomène de l'activité mentale de l'homme : c'est que non seulement elle n'est pas infinie, mais elle est ridiculement limitée étant donné l'immense nombre de neurones que nous possédons et le nombre incroyable, littéralement astronomique, d'interconnexions qui existent entre eux, comme l'ont montré récemment les neurophysiologistes. Au fond, nos esprits sont loin d'être assez bien maîtrisés, et encore plus loin d'être efficacement exploités. Que faisons-nous de cet extraordinaire potentiel mental qui est le nôtre ? Peu de chose. Quelles sont les découvertes que nous en avons tirées ? Elles sont certainement très peu nombreuses par rapport aux virtualités quasi illimitées (ou en apparence telles) de la combinatoire de notre cerveau. Pourquoi, par exemple (et je crois que nous touchons ici à une question très importante), avons-nous mis si longtemps à comprendre qu'on ne peut pas appliquer exactement et point par point les concepts dérivés de la physique à des systèmes biologiques, physiologiques et mentaux qui, tout en possédant beaucoup de caractéristiques des systèmes physiques, en possèdent aussi d'autres qui leur sont propres — notamment en ce qui concerne le degré et le type de leur organisation interne ?

M. Kaufmann parlait tout à l'heure de l'entropie. Il faut, a-t-il dit, qu'il n'y ait dans le fonctionnement de l'esprit ni trop ni trop peu d'entropie. C'est là une idée profondément valéryenne. Valéry a toujours dit que l'esprit, qui est un fonctionnement tendant vers l'ordre, a absolument besoin de doses continuellement renouvelées de désordre, d'informations nouvelles, de perturbations du système physique et mental causées soit par la sensation ou l'impression venue de l'extérieur, soit par l'activité interne du cerveau. Il attachait lui-même une importance extrême à ce qu'il appelle le « retour à l'informe », qu'il revivait chaque jour à l'aube, et qui était si caractéristique de toute sa manière de penser, de percevoir le monde et de créer. Nous rejoignons directement ici les observations que M. Kaufmann vient de faire sur la nécessité d'alternances de structuration et de déstructuration à l'intérieur d'une large plage d'entropie si on veut utiliser au maximum le potentiel créateur de son esprit. Peut-être, à la différence de Valéry, ne savons-nous pas assez bien *dé*structurer notre pensée pour trouver le nombre de combinaisons d'idées nouvelles dont nous sommes potentiellement capables.

Mais il y a un aspect plus positif de la question. J'ai écrit récemment une étude intitulée « L'Homme et les animaux chez Valéry : À la recherche d'une spécificité humaine », où j'ai essayé de défi-

191

nir, à partir des réflexions très nombreuses et très précises de Valéry sur le psychisme animal, ce qui pour lui distingue fondamentalement la pensée humaine de la pensée animale. Or, une des choses qui lui semblent caractériser le plus nettement l'esprit humain, c'est sa tendance à s'élancer toujours plus loin, à vouloir toujours aller au-delà de ce qu'il a déjà pensé. Valéry définit l'être humain, en tant qu'opposé à tous les animaux, de la façon suivante : l'homme est le seul animal qui, après avoir répondu aux questions qui se posent d'emblée à lui, en crée consciemment d'autres, des demandes nouvelles qui n'avaient absolument aucune raison intrinsèque d'exister, mais qu'il crée par simple besoin d'étendre ses propres horizons intellectuels et de perfectionner ses propres capacités mentales. C'est là, selon Valéry, l'origine de toute notre culture, de toute notre science et de tout notre art. Comme il le dit en d'autres termes, l'homme est un animal qui, au lieu de se contenter de s'adapter à son milieu, modifie gratuitement ce milieu pour pouvoir s'y adapter autrement. D'où tous les tourments et tous les problèmes que nous nous imposons, mais aussi tout ce qui stimule, excite et agrandit le domaine d'action et de pouvoir mental de l'humanité.

Mme CELEYRETTE. — Je voudrais faire une remarque sur la notion de « pouvoir ». Valéry a souligné que c'était l'idée essentielle de sa méthode ainsi que des mathématiques. Il rapproche son « je puis » de celui du mathématicien qui dit : « Je puis toujours ajouter 1 ». Il y a là un faire qui est un *faire sans faire* ou un *faire semblant*. C'est une sorte d'infini, un infini en acte, un acte débrayé de sa matière. Quand la matière n'entre plus en jeu, on *peut* toujours. Ce genre d'infini (« J'ai mon infini », dit Monsieur Teste) est celui même de l'esprit ; ce que Valéry exprime par la fameuse formule : « plus je... plus je... » de l'infini esthétique ou du désir : « plus j'en ai, plus j'en veux », « plus je pense, plus je pense ». Cela ne s'arrête jamais, sinon pour des raisons extérieures au système de la conscience : parce qu'il y a le corps en tant que ressource organique limitée. Tout le drame de l'homme est dans ce contraste entre le mécanisme de l'esprit, où aucune « dernière pensée » n'épuise le pouvoir de penser, et le fait que le corps, support de la conscience, vient introduire à un moment donné un blocage du système. Il y a donc opposition entre le *je puis* qui aspire à être celui de la mathématique et suppose l'impersonnalité, l'exhaustion du *je*, et le *je puis* du Moi/corps qui dispose de ressources bien définies. Dans le *je puis* de la science abstraite, le *je* n'est pas le sujet d'un faire effectif, et c'est ce *je* que l'on voit dans *Teste* et le plus souvent dans le « Système ».

M. BASTET. — Valéry est, en effet, très sensible à ce caractère gratuit, et de quelque façon arbitraire, d'une démarche qui ne trouve pas sa confirmation, sa justification dans un pouvoir réel (le *je puis* mathématique). Mais il semble qu'à partir d'un certain moment, tout ce qu'il dit de cette obligation, pour la science, de se prouver elle-même par son pouvoir effectif marque au moins autant une sorte de méfiance à l'égard de ce pouvoir sans garantie qu'une fascination positive. Je crois qu'il faudrait faire intervenir ici des considérations de chronologie.

Mlle JALLAT. — On rejoint là, je crois, l'ambiguïté profonde de l'entreprise du « Système ». Valéry part, en réalité, sur deux intentions différentes : construire un système et, en même temps, obtenir un gain, c'est-à-dire effectuer réellement quelque chose. Or il vient un moment où il dit qu'il n'a rien effectué. Il y a donc d'une part cette démarche qu'on pourrait penser être une démarche scientifique, et, en face une autre démarche : la volonté de faire un système pour être moins malheureux.

M. BASTET. — Je pense, effectivement, que dans l'intention du « Système » il y a une volonté de protection et de défense, Valéry l'a dit très clairement, contre toutes les souffrances auxquelles l'être humain peut être exposé. Mais je crois aussi (on ne l'a peut-être pas assez souligné, mais c'est surtout vrai au départ de l'aventure) qu'il y a eu, en même temps, une très grande espérance qui n'est pas d'ordre scientifique, qui est d'ordre quasiment magique. Le mot *magie* a été un des mots clés de l'enfance valéryenne, et le pouvoir magique, qu'il a d'abord conféré à la parole poétique, et dont il a désespéré très vite en ce domaine, s'est ensuite nourri très largement de la lecture de Poe. Poe a agi sur lui en lui faisant entrevoir à vide, si je puis dire, en tant que magie pure, ce que pourrait être une sorte de toute-puissance de l'esprit. Une toute-puissance de l'esprit qui n'a pas encore de lois, ni de conditions définies, mais que l'on projette à l'infini. C'est le sens de la fameuse phrase du *Domaine d'Arnheim* qui l'a fasciné à dix-huit ans : « On n'a jamais vu et sans doute ne verra-t-on jamais ce que pourrait donner l'esprit humain s'il allait jusqu'au bout de... » Eh bien, puisque l'on parlait des pouvoirs de l'esprit et du mythe de Gladiator, qui est solidaire du « Système » (le « Système », c'est justement comprendre une chose pour acquérir le pouvoir de penser au-delà), dans certaines pages consacrées à Gladiator, Valéry affirme que sa grande ambition, ce que l'homme selon lui devrait être capable de faire et qu'il ferait peut-être un jour s'il avait le courage d'aller jusqu'au bout, ce ne serait pas de penser plus loin, de penser des choses auxquelles les hommes n'ont jamais pensé, mais qui resteraient dans la direction, dans le prolongement même de la modalité normale de la pensée, ce serait de penser autrement, d'acquérir de nouvelles possibilités de pensée. Vous évoquiez tout à l'heure le fait que l'homme n'a jamais pris conscience de toutes ses possibilités. De sorte que l'aventure de la connaissance ne serait pas un simple développement linéaire, ce serait véritablement la découverte d'une modalité tout à fait nouvelle et totalement contrôlée, totalement « consciente » de l'esprit, où les phases d'entropie elles-mêmes seraient consciemment utilisées. Valéry l'a dit, il voudrait se rendre maître du sommeil, du rêve, etc., c'est-à-dire non point éliminer les puissances de ce désordre, mais les assumer, en quelque sorte, rationaliser les éléments mêmes qui échappent à notre prise et parvenir à une superconscience qui intégrerait à la fois les états conscients et les états non conscients. Que tout cela soit resté à l'état idéal et n'ait pas trouvé sa formulation, c'est certain. Mais je crois que pour comprendre le « Système » de Valéry, il faut, certes, dresser le bilan de ce qu'il a pu dire de positif et se demander : « Est-ce utilisable ou non ?

a-t-il été jusqu'au bout de telle direction ? » etc. ; mais il ne faut pas oublier surtout que toute l'idée du « Système » reste secrètement orientée par une visée qui n'est pas précisément volonté de connaissance au sens scientifique du terme, mais par une sorte d'intense besoin d'échapper à la réalité en même temps que par la projection, la fascination d'un immense mythe : la toute-puissance de l'esprit.

M. LANTIÉRI. — Je vais céder à un de mes travers : j'ai l'habitude de juger de certaines choses à l'aide de modèles. Je me fabrique un modèle, et je me demande si ce dont je parle est conforme ou non au modèle. Or, en ce qui concerne Valéry et la possibilité ou non du « Système », je prends quelques exemples typiques de systèmes, celui de Parménide, ou celui de Spinoza, et je fais la réflexion suivante : je crois que dans une certaine mesure l'achèvement du système, chez un philosophe, coïncide avec la disparition de la subjectivité, ou du moins de la mise en place de la subjectivité à l'intérieur du système, au point que tout ce qui est de l'ordre des impuretés du Moi se trouve définitivement éliminé. J'irai même plus loin : je me demande si, une fois le système achevé, un philosophe peut encore continuer à penser, parler, écrire. Je pousse évidemment à la limite. Or, le travail même de Valéry impliquait, par toutes sortes de raisons, qu'il tende vers une certaine forme de constitution ou de construction systématique. Mais aussi, dans une certaine mesure, à partir même des procédés de récurrence, cette méthode à la fois récurrente et circulaire qu'il utilise constamment lui interdisait d'achever le système et en même temps de se considérer comme une espèce de point zéro une fois le système constitué. Je sais que j'avance ici une interprétation très kojévienne. Kojève disait, losqu'il parlait de Hegel et tentait une comparaison avec Spinoza : Spinoza, lorsqu'il commence à écrire l'*Éthique*, est dieu, et Hegel, à la fin de la *Logique*, est devenu dieu. À ce moment-là, il n'est plus question ni de parler, ni d'écrire, ni même de penser.

Mme LAURENTI. — C'est le point de non retour du Solitaire, et, dans une certaine mesure, de Faust.

195

M. Belaval. — Je voudrais revenir sur certains propos de Mme Robinson. Il me semble, d'abord, qu'il y a une différence fondamentale entre l'animal et l'homme : c'est qu'on n'a jamais vu un animal se lever à quatre heures du matin pour tenir ses cahiers. Ce qui implique une certaine notion du temps. L'homme, c'est celui qui est capable de ce que Jamet appelait une conduite d'absence.

Deuxième point : il me semble qu'à propos du nombre des neurones vous avez posé à la fois une question et un problème. Votre propos m'a évoqué tout de suite ce que j'ai vu en traversant l'Atlantique : pendant trois jours, l'Atlantique était jaune, comme couvert de fleurs jaunes. C'étaient les œufs de poissons, à l'infini. Pour combien de poissons ? C'est là le genre de question qu'on adresse à la nature, et à laquelle on ne peut pas répondre. Je distinguerai cela du problème : le problème peut se formuler et est, en principe, résoluble. Et quand vous vous êtes interrogée sur l'opposition entre les pouvoirs du savant et sa faiblesse devant la vie, je pensais à un texte auquel je renvoie toujours : la préface de Duclaux à son *Traité de chimie biologique*. Terminant sa carrière, Duclaux, qui est le fils du préparateur de Pasteur (il vit encore, très âgé), dit : j'ai fait de la chimie biologique toute ma vie. Quelles sont les lois de la chimie ? Je n'en connais aucune. Il n'y a en chimie que des lois de la physique appliquées à la chimie. Tout peut se ramener à $PV = kT$. Ce que nous appelons la chimie est donc à la chimie ce que la géométrie d'Euclide est à la géométrie ; dans la géométrie aussi il y a des substances molles, si je puis dire, puisque, en dehors d'Euclide, qui travaille sur des figures indéformables, d'acier, il y a une géométrie de figures en laiton et une géométrie de figures en élastique. Par conséquent, la chimie que nous fabriquons est une chimie de laboratoire. Duclaux donnait comme exemple l'azote, qui exige 300° pour être fixé en laboratoire, et dans mon jardin se fixe à 7 ou même à 0°. D'où il concluait que, lorsqu'on aurait suffisamment progressé dans la connaissance de la structure de la cellule vivante, on y retrouverait très certainement (et ce serait alors la chimie tout à fait générale) les lois de l'atome. On pourra alors déduire la physique de la vie.

Je ne dis pas qu'on y arrivera. Mais du moins, ce que vous avez posé là, c'est un problème : à la science de le résoudre.

Troisième point : ce que vous avez dit des limites, et ce qu'en a dit M. Bastet, pour rappeler que Valéry était aussi un poète. Sur la notion de limite en général (je m'étonne que M. Lantiéri, qui en a parlé hier, n'y ait pas fait allusion aujourd'hui), l'homme dont Valéry est à coup sûr le plus proche, c'est Wittgenstein qui, lui, a mené l'aventure jusqu'au bout. Wittgenstein a commencé, comme Valéry, par s'interroger sur le langage des philosophes ; il a cherché d'une façon rigoureuse et il a conclu : « Ce qu'on ne peut pas dire, il faut le taire ». Mais il a continué son aventure — et c'est là où Bertrand Russell n'a rien compris : il a continué jusqu'aux bornes, comme Valéry. Et au-delà des bornes, qu'est-ce qu'il y a ? la mystique. C'est un mystique, un métaphysicien — un homme qui au-delà des bornes trouve autre chose. (*À M. Kaufmann*) Comment expliquez-vous cela, Monsieur ? À un moment donné, dans le langage de l'informatique, on distinguait l'information de la communication. Vous en avez parlé implicitement. Un poème, de quoi parle-t-il ? Si on le traduit en prose, comme dit Valéry, c'est quelquefois une idée, et souvent une idée niaise. Mais un poème obscur, inintelligible, peut avoir une communication intense : il nous bouleverse. Communication, information, l'effort de Valéry est double : information, c'est-à-dire utilisation des pouvoirs de l'esprit par ses opérations ; mais lorsque cet effort s'épuise, que reste-t-il ? Ne serait-ce pas l'effort de communication ? Sans en avoir guère plus parlé que Wittgenstein, n'allait-il pas vers la mystique ?

Mme ROBINSON. — Si, il en a parlé ! Il a dit : « Je pense en rationaliste archi-pur. Je sens en mystique. » Et je suis moi-même de plus en plus frappée par ce double aspect de sa nature, qui existe aussi, effectivement, chez Wittgenstein. Ni chez l'un ni chez l'autre, la tendance mystique de l'esprit n'est incompatible avec l'exercice rationnel de l'intellect dans d'autres domaines.

M. BASTET. — Suffit-il de dire que l'activité poétique chez Valéry vient remplir la place, ou plus exactement prendre la suite de l'aventure de la pensée ? Si l'on parle d'une « mystique » valéryenne, ajoutons qu'il s'agit moins d'une mystique positive et qui ait un contenu définissable que d'une sorte de visée générale ou d'espace, que Valéry conçoit parfaitement mais qu'il n'occupe guère que verbalement la plupart du temps, à l'état de désir ou de manque, à l'état de projection et comme de mimétisme vis-à-vis de certaines attitudes mystiques qu'il a pu connaître par ses lectures. Ambiguïté visible dans une notion aussi fondamentale que celle du « Moi pur ». Il est bien certain que le « Moi pur », qui occupe un rôle fondamental dans l'économie du « Système », et qui est l'antithétique de tout, se définit à l'aide d'un langage mathématique qui lui donne un statut rationnel. Mais il est non moins certain que, autour de cette idée rationnelle du « Moi pur », Valéry projette quelque chose qui n'est plus du tout de l'ordre de la rationalité, qui est vraiment une sorte d'attitude fondamentale de l'esprit : négativement d'abord, intense besoin d'un dégagement général du Moi. Je veux dire que le « Système » traduit un besoin très fondamental, celui de tenir « dans le creux de sa main », c'est-à-dire de posséder, de rendre intelligible, de rendre évident ce qu'il y a devant lui. Parce que ce qu'il y a devant lui ne suscite pas seulement sa curiosité, mais, plus obscurément, un sentiment diffus de malaise. Il y a chez Valéry ce malaise fondamental devant ce qui est, parce que c'est l'Autre, l'opacité infinie de ce qu'il n'a pas fait et qui ne lui est pas consubstantiel. Et, comme il le dit, il ne peut comprendre et admettre que quelque chose qu'il aurait fait lui-même. Et donc cet objet qui est devant lui, tant qu'il n'a pas été intégré dans un système sien, assumé par un acte de son esprit à lui, reste la menace de l'extérieur, l'angoisse du dehors, en même temps d'ailleurs que l'étonnement devant un arbitraire total. Ce qu'il ne cesse de dire, c'est que, quand il ouvre les yeux, il ne voit que des choses qui pourraient être tout autres, qui ne s'imposent pas. L'entreprise de systématisation émane d'un besoin de remplacer cet univers qui est incohérence, éparpillement, altérité pure, par autre chose qui soit dévoré, assumé, trituré par son esprit, devenu chose mentale et en même temps, dans toute la mesure du possible, chose systématique, c'est-à-dire ordonnée, qui substitue à l'angoisse du désordre et à l'insignifiance de l'être là, la vision close d'un système, non pas explicatif peut-être, représentatif si l'on veut, mais rassurant en tout cas : l'esprit se sent désormais chez lui.

Mais ce que je voudrais dire surtout, c'est que Valéry éprouve tout à la fois ce besoin de constituer la clôture d'un système et celui d'en dégager quelque chose en lui qui ne puisse pour sa part, entrer dans aucun système, quelque chose qui soit absolument non cernable, non définissable. Définir une chose, c'est certainement la rendre moins opaque, moins extérieure, c'est en faire une chose mentale. Mais ce travail de réduction provoque aussitôt un autre réflexe valéryen, un autre malaise : le sentiment de l'étouffement dans l'insignifiance. Tout à l'heure c'était la menace sans visage, maintenant c'est l'ennui, l'étroitesse infinie de l'objet réduit de toutes parts. Passe encore que l'univers se réduise à ce peu. Mais que son Moi puisse tenir à l'intérieur de cette sphère de réduction, être perçu à son tour comme un simple fonctionnement qui fasse partie de ce tout, lui est insupportable. La mystique valéryenne émane de plusieurs sources sans doute et revêt maint aspect. Mais je crois que l'un des plus importants est ce besoin d'une ligne de fuite, de ce qu'il appelle parfois la « fenêtre » qui brusquement s'ouvre sur un pur espace, un simple non défini. Il en parle à propos de ses expériences d'enfant. Tout enfant, il voyait, dit-il, les gens qui l'entouraient comme des mécanismes, de simples objets de ce Moi qui était la seule subjectivité possible, le seul élément qui ne puisse, lui, être perçu comme un objet, comme un fonctionnement. Je crois que Valéry est tout à la fois l'homme du « Système », celui qui veut tout convertir en fonctionnement, et celui aussi qui, antithétiquement et symétriquement, éprouve le besoin qu'il y ait quelque chose qui échappe à toute espèce du système, c'est-à-dire, au fond, à toute espèce de figure. C'est l'indicible pur, ce pour quoi il n'y a ni terme ni figure. Il y a en lui cet étrange besoin de maintenir en toute chose une part qui soit celle de l'origine sans visage. Il lui arrive d'énoncer ainsi des lois étranges, auxquelles il semble tenir. Lorsqu'il énonce, par exemple, que : ce qu'une chose apparaît n'est en réalité que ce qu'elle rejette hors de soi, tout ce qui est apparent est écran, derrière lequel s'ouvre ce quelque chose dont on ne peut rien savoir, ce n'est pas une proposition d'ordre scientifique, c'est ce besoin de maintenir toujours, par-delà ce qu'on a rendu évident, quelque chose qui échappe à toute espèce de saisie.

M. Belaval. — Tout ce que vous venez de dire, c'est la définition du « *dasein* » dans le premier livre de la grande *Logique* de Hegel. Le *Da-sein*, c'est précisément le sentiment de la limite.

Mme Roth-Mascagni. — Mme Celeyrette proposait ce matin, comme figures mathématiques chez Valéry, le cercle et la rotation. Peut-être pourrait-on se demander aussi à quoi ce système de figures a servi dans l'œuvre, dans la poésie en particulier. Je parle de ce que je crois approcher un peu. Des poèmes de Valéry se définissent par le cercle, par exemple le dernier poème de *Charmes*. « *Palme* » s'inscrit dans le cercle, je crois qu'on le voit dans la composition générale, dans les images choisies, dans le mouvement des rimes. Or, en tant que contenant, le cercle est absolu : cela rejoint donc l'aspect cartésien de la philosophie valéryenne dont vous parliez. Vous citiez d'autre part une autre figure mathématique : celle de la rotation. Elle rejoint une confidence de Valéry, qui écrivait : « Je suis un être de vertige. » Et vous donniez, je crois, l'image de la toupie et celle de la danseuse, bien sûr, qui se déplacent sur une surface plane (c'est alors un épicycloïde). Il me semble qu'on pourrait ajouter à cela profondeur-hauteur (qui sont pour Valéry une seule et même chose), autrement dit, donner un volume. On touche alors à la mystique, parce qu'on trouve ainsi une ligne qui est la spirale. Et la spirale renvoie, à mon sens, aux grands initiés. Dans cette perspective, il s'agirait d'une double spirale : la spirale montante et la spirale descendante, avec un nœud supérieur et un nœud inférieur, les deux étant reliés par l'axe du monde. Ce qui, peut-être, rejoindrait aussi « l'homme aux axes ».

En étudiant *La Jeune Parque*, j'ai cherché à expliquer quelle était la composition de ce poème, sur laquelle on s'interroge encore, et je vous donne très humblement ce que je crois être une solution possible. Il s'agit, à mon avis, d'une composition en spirale, c'est-à-dire essentiellement musicale. Dans cette spirale il y a des nœuds, qui sont les mélodies. Je pense que ce qui a inspiré à Valéry cette composition, qui est une composition mystique et musicale, c'est l'*Orphée* de Gluck. Valéry, on le sait, a plutôt parlé de l'*Alceste* ; mais dans l'*Orphée*, au moment où le héros solaire descend aux Abîmes pour chercher Eurydice, on entend ce mouvement de rotation et de descente en profondeur, qui est fortement marqué, par exemple, par le ballet des Furies. Et dans la composition de *La Jeune Parque*, on trouve aussi cela. Ce qui expliquerait cette confidence : que le poème a été une recherche pratiquement indéfinie de la modulation. Le décalage impliqué par ce mouvement de rotation, mouvement harmonieux et *modulé*, correspond à la spirale.

Mme LAURENTI. — La descente en profondeur, elle est dans le thème aussi, celui de la conscience et des « enfers intérieurs ». Il est intéressant, en effet, de voir s'établir une relation en quelque sorte congénitale entre une méthode d'exploration systématique de la pensée et les éléments fondamentaux d'une structure poétique. Ces deux recherches, ces deux formes d'inventivité ne peuvent être séparées.

M. BELAVAL. — La spirale, chez Valéry, c'est aussi le Serpent.

Mme ROTH-MASCAGNI. — Mais oui, tous les symboles valéryens, le serpent, l'ombre, la mer elle-même (« hydre absolue »), dessinent la spirale. Au fond, tout cela répond à une même thématique : il y a d'une part l'ombre, le serpent, la nuit, et d'autre part le héros solaire qu'est Orphée, qui va justement à la recherche de la lumière, et remonte au jour avec Eurydice qui, en fin de compte, n'est rien d'autre que la lumière : mythe essentiellement valéryen.

M. BELAVAL. — Je vous donnerai raison sur un autre point, et je m'adresse en même temps à Mme Celeyrette. Descartes, en géométrie, est « l'homme des axes », et vous avez dit que ces axes étaient absolus ; bien sûr, parce que Descartes croyait à l'espace absolu : l'axe du monde, centre immobile du mobile qui tourne.

Mme ROTH-MASCAGNI. — Le caducée, cher à Valéry...

M. MOUTOTE. — Dans un tout autre ordre d'idées, je voudrais revenir sur ce que disait hier M. Belaval. Vous m'avez rappelé qu'il y a deux Moi : celui de la construction et celui de l'existence. Or, quand Mlle Jallat a parlé, nous avons touché à une remarque qui me permet de dire précisément le rôle que j'attribue à ce Moi fuyant, qui sert quand même à constater l'existence de l'Autre. Il me semble que ce Moi fragile est pris en compte, ne serait-ce que comme moyen de fuite dans le « Système » de Valéry, et que c'est un moyen d'intégrer dans sa pensée ce qui est fondamental dans la vie : la mort. Est-ce que je me trompe ?

M. BASTET. — Non, je crois qu'on ne saurait pas dissocier l'idée de « Système » de celle de la mort. Historiquement du reste, quand Valéry, en 1892, après la nuit de Gênes, conçoit l'idée du « Système » avant même de savoir comment l'organiser, ce projet apparaît déjà lié à la hantise de la mort. C'est de ces années-là que date un curieux texte demeuré inédit, « L'Essai sur le mortel ». Tentative pour rationaliser l'idée de la mort et son angoisse, qui se retrouvera sous une autre forme jusqu'à la fin, dans la distinction entre les deux modalités de la mort : la mort par interruption et la mort par achèvement. La mort par interruption, c'est la mort scandaleuse, qui vient briser par hasard quelque chose qui ne demandait qu'à continuer, et qui est ressentie à ce niveau comme le scandale absolu. Mais la mort par achèvement est une mort logique, la dernière combinaison possible d'un système qui a épuisé l'ensemble des possibles dont il est capable. Elle est l'ultime figure d'un système qui a pris toutes les figures et ne veut plus se répéter. Cet épuisement rejoint le thème si valéryen de l' « une fois pour toutes » : si la vie humaine a un sens, c'est d'essayer tout ce dont elle est capable sans jamais rien recommencer. La grande loi est une loi d'épuisement par exhaustion, par resserrement vers une formule unique et définitive. La mort alors n'est plus du tout interruption, elle n'est que la dissipation d'une combinatoire qui s'est épuisée elle-même.

Mme ROTH-MASCAGNI. — C'est la « transparente mort » de la Jeune Parque.

M. BASTET. — Très précisément, c'est celle qui a converti en lumière les accidents et les figures et les positions que le Moi pouvait successivement revêtir. Je dirai que c'est peut-être la première solution que Valéry ait donnée à ce problème du plein et du vide, du système clos et de la fuite hors du système. On sent chez le jeune Valéry, autour d'une image comme celle de la foudre, par exemple, le désir exacerbé de tout traverser, de tout saisir, de tout éclairer dans une sorte d'acte presque unique, instantané, ou qui supposerait du moins le minimum de temps possible, dans le spasme lumineux qui mettrait fin en l'épuisant à toute la capacité de son esprit et de son être. Il lui arrive alors d'écrire : « Ce soir, je sens que je ne pourrai pas vivre vieux. Je pourrais le démontrer mathématiquement. » « L'Essai sur le mortel » établit ainsi toute une série de théorèmes et de démonstrations qui tendent à faire de l'idée de la mort l'idée de la limite d'un raisonnement, et, du coup, la rendent rationnelle.

Mme CELEYRETTE. — Il faut ajouter que ce que vient de dire Ned Bastet à propos de « L'Essai sur le mortel » se retrouve dans toute l'œuvre de Valéry et dans les *Cahiers*, et en particulier dans le projet du « περὶ τῶν τοῦ θεοῦ » ; car la mort naturelle, ce serait aussi la mort de ce personnage de Socrate, survenue par épuisement d'une combinatoire.

UN AUDITEUR. — Je voudrais d'abord exprimer une réflexion au sujet de l'intervention de M. Bastet sur les deux tentations de Valéry : tentation systématique et tentation anti-systématique. Je souscris tout à fait à l'analyse de l'opposition d'un premier système cohérent et fermé et d'un deuxième système non cohérent, discontinu et non cernable. La formule de M. Bastet rejoint à mon avis l'opposition valéryenne de « système » (avec minuscule) et « Système » (avec majuscule). À ce propos, je voudrais vous proposer une autre formule valéryenne qui n'a été citée par personne et qui me paraît importante quand on pense au « Système » de Valéry, et d'après laquelle « le système est œuvre d'art ou n'est pas » ; ce qui résume bien l'attitude ambiguë de Valéry face au système. D'après cette formule, le système est une fabrication factice qui trahit la réalité de la pensée, laquelle est chez Valéry extrêmement rapide, mouvante et pleine de contradictions. Cette réalité de la pensée de Valéry, c'est ce que nous trouvons dans l'écriture fragmentaire des *Cahiers* en tant que « contre-œuvre » (et non pas œuvre d'art). À cette écriture fragmentaire on peut donc opposer l'écriture de « l'œuvre » publiée. Autrement dit, j'oppose nettement l'écriture lente, patiente, bien méditée, toujours recommencée, qui croît dans la durée du temps, telle qu'on la trouve dans la fabrication consciente de *La Jeune Parque* et d'autres textes, à l'écriture rapide, impatiente, parfois fulgurante et toujours fragmentaire qui n'existe que dans l'instant et ne peut exister dans la durée. Si Valéry avait voulu construire un quelconque système philosophique à partir de ces fragments des *Cahiers*, il n'aurait eu qu'à les ordonner autour d'une de ses notions clés, par exemple Moi pur, CEM, trois lois, au détriment des autres. Cela, Valéry n'a pas voulu le faire, ce qui, à mon avis, lui fait honneur.

D'autre part, je regrette que la notion d' « implexe », notion motrice de la pensée valéryenne, à partir de « L'Idée fixe », n'ait pas été mentionnée. Tout le monde sait que Valéry distinguait Moi pur et Moi personnalité. Et dans le prolongement du Moi pur, il s'est proposé la notion d' « implexe » pour faire éclater substantiellement l'espace restreint : par exemple, Socrate dans « Eupalinos » dit que l'homme naît plusieurs et meurt seul. Cette potentialité et virtualité du Moi est définie comme l' « implexe ». L'analyse du Moi valéryen ne sera complète qu'avec cette notion.

M. BASTET. — Le déroulement même de la discussion qui s'achève illustre et explique en un sens le destin de l'entreprise valéryenne et l'abandon de son dessein initial. Comment empêcher que toute question que se pose l'esprit ne devienne carrefour, multiplicité de routes possibles, interrogations proliférantes — que l'intelligence n'aille sa route par bonds, par détours et par retours, et qu'aucune structure soumise à l'incessant travail de l'imagination inventive et du génie de l' « à-propos » ne puisse se refermer parfaitement sur elle-même pour contempler la belle ordonnance de ses « degrés de symétrie » ? Peut-être le rêve, nourri par Valéry, d'une structure close et d'une évidence de toutes parts « réfringente » allait-il exactement à l'inverse de la démarche naturelle de son esprit, toute d'impatience, de rebonds, d'attouchements frémissants de toutes choses et du don singulier, à chaque pas, de l'étonnement ? Mais, ce faisant, s'il ne conclut pas, l'esprit, du moins, projette de toutes parts ses lumières, ouvre ses avenues, crée de ses propres pas son chemin.

Ainsi notre discussion exigerait-elle de se poursuivre et se poursuivra-t-elle de quelque façon. Peut-être pourrait-on proposer trois directions principales pour cette quête. Continuer, évidemment, à préciser la genèse, la chronologie, les matériaux, le fonctionnement et les corrélations des divers concepts opératoires que Valéry a mis, successivement ou parallèlement, en œuvre pour se rendre perceptibles à lui-même les mécanismes de l'esprit. S'interroger (et l'intervention, dont nous venons de mesurer le prix, des mathématiciens, des physiciens, des biologistes s'avère aussi indispensable que celle des philosophes ou des psychologues) sur la cohérence interne, l'efficience et la valeur d'avenir de ces tentatives pour inventer, par analogie, des méthodes, des langages, des points de vue. Que peut faire la pensée d'aujourd'hui des intuitions valéryennes ? Enfin — et c'est la troisième voie possible — explorer plus avant les structures inconscientes et les développements imaginaires de la théorisation abstraite. Il est certain que le mythe du « Système » et l'élaboration de ses moyens ont répondu chez Valéry à des besoins très profonds et très spécifiques de son Moi : Il est non moins certain qu'il a beaucoup rêvé sur ces images ou ces modèles de démarche, de type nouveau, que lui fournissaient les langages scientifiques et les instruments conceptuels qu'il s'est forgés à leur exemple. Ce peut être une voie féconde ouverte à la recherche que cette attention à traquer les masques abstraits du Désir, ce qui se dit et ce qui se tait sous la « rigueur obstinée » d'un « Self-langage ». C'est l'un des mérites de ce colloque que d'avoir, dans ces trois directions, conduit notre interrogation plus avant.

CARNET BIBLIOGRAPHIQUE

par Peter C. HOY

ŒUVRES

(1976)

LETTRES INÉDITES

« Trois lettres à Jean Paulhan [12 juill. 1918 ; 1918 ; 3 oct. 1925] », *La Nouvelle revue française*, XLVIII, n° 286, oct. 1976, pp. 41-5.

Fragments d'une lettre à Julien Green [*sans date*], p. 3 in GREEN, Julien, *Memories of Evil Days*. Edited with an introduction by Jean-Pierre J. PIRIOU. Charlottesville, Va., University Press of Virginia, 1976, XXI-140 p.

ÉDITIONS DES ŒUVRES

B

Traductions

« *The Footsteps* ; *The Graveyard by the Sea* », trad. de C. DAY LEWIS, pp. 217-20 in JACKSON, Elizabeth R., *Worlds Apart : Structural Parallels in the Poetry of Paul Valéry, Saint-John Perse, Benjamin Péret and René Char*. La Haye-Paris, Mouton, 1976, IX-256 p. (Coll. « De proprietatibus litterarum : Series practica », 106).

[reprend les traductions publiées dans *Selected Writings* (New York, 1950)]

CORNFORD, Frances, *Fifteen Poems From the French*. Apollinaire, Aragon, Baudelaire, Du Bellay, Heredia, Labé, Mallarmé, Rimbaud, Ronsard, Supervielle, Valéry, Verlaine. Édimbourg, The Tragara Press, 1976, 39 p.

    [p. 37 : « *The Wood of Friendship* »]

« *The Bee* », trad. de Ben BELITT, *Quarterly Review of Literature* [Princeton (N. J.)], XX, nos. 1-2, 1976, p. 92 (« Special Issues Retrospective »).

    [reprend la trad. publiée dans la même revue (III, no. 3, 1947)]

« *Fragments from Narcissus* », trad. de Léonie ADAMS, *Quarterly Review of Literature*, XX, nos. 1-2, 1976, pp. 96-100 (« Special Issues Retrospectives »).

    [reprend la trad. publiée dans la même revue (III, no. 3, 1947)]

« *Graveyard by the Sea* », trad. de Ruth MYERS, *Quarterly Review of Literature*, XX, nos. 1-2, 1976, pp. 101-5 (« Special Issues Retrospective »).

    [reprend la trad. publiée dans la même revue (III, no. 3, 1947)]

« *Charles the Fifth and the Peasant* », trad. de Robert LOWELL, *Quarterly Review of Literature*, XX, nos. 1-2, 1976, p. 106 (« Special Issues Retrospective »).

    [reprend la trad. publiée dans la même revue (III, no. 3, 1947)]

« *Palm* », trad. de Denis DEVLIN, *Quarterly Review of Literature*, XX, nos. 1-2, 1976, pp. 107-9 (« Special Issues Retrospective »).

    [reprend la trad. publiée dans la même revue (III, no. 3, 1947)]

« *The Young Fate (lines 1-37, 102-48)* », trad. de Roger SHATTUCK, *Quarterly Review of Literature*, XX, nos. 1-2, 1976, pp. 110-3 (« Special Issues Retrospective »).

    [reprend la trad. publiée dans la même revue (III, no. 3, 1947)]

« Selections from *Mélange* », trad. de Wallace FOWLIE, *Quarterly Review of Literature*, XX, nos. 1-2, 1976, pp. 114-20 (« Special Issues Retrospective »).

    [reprend la trad. publiée dans la même revue (III, no. 3, 1947)]

« Selected moralities », trad. de Wallace FOWLIE, *Quarterly Review of Literature*, XX, nos. 1-2, 1976, pp. 156-9 (« Special Issues Retrospective »).

    [reprend la trad. publiée dans la même revue (III, no. 3, 1947)]

« *Sketch of a serpent* », trad. de Jan SCHREIBER, *The Hudson Review* [New York], XXIX, no. 1, Spring 1976, pp. 9-17.

« *The Marine Graveyard* », trad. de Ian REID, *Meanjin Quarterly* [Parkville (Vict.)], vol. 35, no. 3, Sept. 1976, pp. 265-71.

« *Cantique des colonnes* ; *Cimetière marin* », pp. 276-91 in Mario LUZI, *L'Idea simbolista*. Milano, Aldo Garzanti, Editore, 1976, 391 p. (Coll. « Argumenti »).

CRITIQUE

(toutes langues)

1976

(classement alphabétique des périodiques contenant des articles anonymes)

Bulletin critique du livre français (XXXI)

***, « *Cahiers de Paul Valéry. I* : *Poétique et poésie* » (n° 365, mai 1976, p. 746).

Bulletin des études valéryennes (3ᵉ année)

***, « Brèves nouvelles » (n° 8, janv. 1976, pp. 12-5).

***, « Communication... » (n° 9, avril 1976, p. 3).

***, « Brèves nouvelles » (n° 9, avril 1976, p. 5).

***, « Bibliothèque du Centre » (n° 9, avril 1976, pp. 6-9).

***, « Bibliothèque du Centre d'Études valéryennes » (n° 10, juill. 1976, pp. 26-9).

[*acquisitions*]

***, « Brèves nouvelles valéryennes » (n° 10, juill. 1976, pp. 29-30).

***, « Brèves nouvelles » (n° 11, oct. 1976, p. 4).

***, « Bibliothèques du Centre d'Études valéryennes » (n° 11, oct. 1976, p. 5).

Choice (v. 13)

***, « *The Collected Works of Paul Valéry, v. 15* : *Moi*, trans. by Marthiel and Jackson Mathews » (n° 1, March 1976, p. 78).

Forum for Modern Language Studies (XII)

***, « Books received. Lawler, James R. *The Poet as Analyst. Essays on Paul Valéry* » (no. 4, Oct. 1976, p. 376).

BEEKER, Jon G., « The " Zeno stanza " of *Le Cimetière marin* », *Romance Notes*, XVII, no. 2, Winter 1976, pp. 120-6.

BÉGUIN, Albert, *et* Marcel RAYMOND, *Lettres 1920-1957*. Choix, présentation et notes de Gilbert GUISAN. Préparé avec la collaboration de Françoise FORNEROD et de Pierre GROTZER. Lausanne—Paris, La Bibliothèque des Arts, 1976, 258 p.

[voir les lettres 4, 6, 7, 10, 11, 16, 22, 24, 36, 53, 78 et 79]

Beyond Illustration : The « livre d'artiste » in the twentieth century. An exhibition compiled and described by Breon MITCHELL. The Lilly Library, Indiana University, Bloomington, 1976. Bloomington, Ind., Indiana University Office of Publications, 1976, 80 p.

[pp. 68 et 70]

BLACK, Michael, « " Thoughts in their dumb cradles " », *The New Universities Quarterly*, vol. 30, no. 2, Spring 1976, pp. 202-18.

[pp. 216-7]

BLAYAC, Alain, « Paul Valéry au Texas : La collection Carlton Lake (1974) », *Bulletin des études valéryennes*, 3ᵉ année, n° 10, juill. 1976, pp. 4-25.

[présentation de Daniel MOUTOTE (p. 4)]

BLÜHER, Karl Alfred, « L'Instant faustien — la quête du bonheur dans le mythe de Faust de Goethe à Valéry », *Bulletin des études valéryennes*, 3ᵉ année, n° 11, oct. 1976, pp. 32-47.

BOULLE, Pierre, « À la recherche d'un sujet », *Le Figaro littéraire*, 13-14 nov. 1976.

BOURJEA, Serge, « La Fonction nocturne dans l'imaginaire valéryen », *Bulletin des études valéryennes*, 3ᵉ année, n° 10, juill. 1976, pp. 32-49.

[suivi d'une discussion (pp. 50-4) avec la participation de ALBARÈDE, BOURJEA, CAZEAULT, JEANJACQUES, LAURENTI, MOUTOTE, PLOUVIER, YESHUA]

BOWIE, Malcolm, « Paul Valéry : *Charmes ou poèmes*. Edited by Charles G. Whiting », *French Studies*, XXX, no. 2, April 1976, pp. 234-5.

BRERETON, Geoffrey, *A Short History of French Literature*. Second edition. Harmondsworth, Middlesex, Penguin Books, 1976, 368 p. (Coll. « Pelican Books »).

[pp. 287-9]
[voir aussi 1954]

BRUNELLI, Giuseppe Antonio, « Attualità di Valéry », *Culture française*, XXIII, 1976, pp. 29-31.

• BUCHER, Jean, *La Situation de Paul Valéry*. Bruxelles, La Renaissance du Livre, 1976, 174 p. (Coll. « La Lettre et l'esprit »).

CAZEAULT, Louise, « Reino Virtanen, *L'Imagerie scientifique de Paul Valéry* », *Bulletin des études valéryennes*, 3ᵉ année, n° 8, janv. 1976, pp. 4-5.

CHAPON, François, « Une Bibliographie de Valéry », *Bulletin du bibliophile*, n° IV, 1976, pp. 410-21.
[sur 1976 KARAÏSKAKIS & CHAPON]

CLÉMENT, Charles, *Pages de journal, 1926-1967*. Choix et présentation par Gilbert GUISAN. Lausanne, La Bibliothèque des Arts, 1976, 166 p.
[p. 12]

COHEN, Gustave « *Le Cimetière marin* », *Quarterly Review of Literature*, XX, nos. 1-2, 1976, pp. 129-31 (« Special Issues Retrospective »).
[voir aussi 1933, 1946 et 1947]
[trad. de Catherine COFFIN]

COLÉNO, Alice, « Valéry and the meaning of poetry », *Quarterly Review of Literature*, XX, nos. 1-2, 1976, pp. 132-41 (« Special Issues Retrospective »).
[trad. de Catherine Coffin]
[voir aussi 1947]

CRASNOW, Ellman, « Poems and fictions : Stevens, Rilke, and Valéry », pp. 369-82 in *Modernism, 1890-1930*. Edited with a preface and notes by Malcolm BRADBURY and James McFARLANE. Harmondsworth, Middlesex, Penguin Books, 1976, 683 p. (Coll. « Pelican Guides to European Literature »).

CROW, Christine M., « *MLN*. May 1972. Volume 87, no. 4, French Issue : " *Paul Valéry* " », *French Studies*, XXX, no. 1, Jan. 1976, pp. 90-2.

CROW, Christine M., « *Cahiers Paul Valéry I. Poétique et poésie* », *French Studies*, XXX, no. 4, Oct. 1976, pp. 483-5.

DANIEL, Sandra Farnham, « Paul Valéry : The dialectics of poetic forms », *Dissertation Abstracts International*, vol. 37, no. 5, Nov. 1976, pp. 2916-A.
[résumé de thèse, University of Rochester, 1976, 201 p.]

DELBOUILLE, Paul, « Un Livre posthume sur *Le Cimetière marin* », *Cahiers d'analyse textuelle*, n° 18, 1976, pp. 131-3.
[sur 1976 PIELTAIN]

DUCHESNE-DEGEY, Mariette, « Un Poème de Paul Valéry [" *La Ceinture* "] », *Cahiers d'analyse textuelle*, n° 18, 1976, pp. 59-65.

ELIOT, T. S., « Paul Valéry », *Quarterly Review of Literature*, XX, nos. 1-2, 1976, pp. 93-5 (« Special Issues Retrospective »).
[voir aussi 1946 et 1947]

ERULI, Brunella, « Schwob, Jarry ed altri ribelli », pp. 411-48 in *Saggi e ricerche di letteratura francese*. Vol. XV, nuova serie. Roma, Bulzoni Editore, 1976, 554 p.
[pp. 443-5]

Festa-McCormick, Diana, « Recent books modern fiction : Continental. Paul Valéry : *Moi*. Translated by Marthiel and Jackson Mathews », *Modern Fiction Studies*, vol. 22, no. 4, Winter 1976-77, pp. 685-6.

Florenne, Yves, « Revue des revues. Cahiers : Valéry, Du Bos. — L'autobiographie », *Le Monde [aujourd'hui]*, 29 févr.-1ᵉʳ mars 1976, p. 15.

  [c. r. des *Cahiers Paul Valéry 1*]

Fowlie, Wallace, « La Jeune Parque's imminent tear », *Quarterly Review of Literature*, XX, nos. 1-2, 1976, pp. 160-8 (« Special Issues Retrospective »).

  [voir aussi 1947]

France, F. R., « Reino Virtanen, *The Scientific Analogies of Paul Valéry* », *L'Esprit créateur*, XVI, no. 1, Spring 1976, pp. 82-3.

Frandon, Ida-Marie, « *L'Idée fixe* ou la polyvalence des langages scientifiques », *Bulletin des études valéryennes*, 3ᵉ année, n° 9, avril 1976, pp. 17-33.

  [suivi d'une discussion (pp. 34-45) avec la participation de Albarède, Cazeault, Cermakias, Frandon, Jeanjacques, Laurenti, Madray, Mandin, Mascagni, Mayer, Moutote]

Franklin, Ursula, « Toward the prose fragment in Mallarmé and Valéry : " *Igitur* " and " *Agathe* " », *The French Review*, XLIX, no. 4, March 1976, pp. 536-48.

Franklin, Ursula, « A Valeryan trilogy : The prose poems " *A B C* " », *The Centennial Review*, XX, no. 3, Summer 1976, pp. 244-56.

Fromilhague, R., « Sur la poésie pure de Paul Valéry », *Revue d'histoire littéraire de la France*, 76ᵉ année, n° 3, mai-juin 1976, pp. 393-411.

Fromilhague, René, « Un " rebus " de Paul Valéry déchiffré », *Revue d'histoire littéraire de la France*, 76ᵉ année, n° 5, sept.-oct. 1976, pp. 834-9.

Gass, William H., « Carrots, noses, snow, rose, roses », *The Journal of Philosophy*, LXXIII, no. 19, Nov. 4, 1976, pp. 725-39.

[Gauthier, Michel,] « La Théorie du langage poétique », *Bulletin des études valéryennes*, 3ᵉ année, n° 9, avril 1976, pp. 10-5.

Gauthier, Michel, « Oppositions morphosémantiques de deux rimes chez Paul Valéry », *Bulletin des études valéryennes*, 3ᵉ année, n° 11, oct. 1976, pp. 8-29.

Gracq, Julien, *Les Eaux étroites*. Paris, José Corti, 1976, 74 p.

  [p. 50 sur Valéry et Poe]

GREEN, Julien, *La Bouteille à la mer. Journal 1972-1976*. Paris, Plon, 1976, 456 p.
[pp. 275-6]

GREEN, Julien, *Memories of Evil Days*. Edited with an Introduction by Jean-Pierre J. PIRIOU. Charlottesville, Va., University Press of Virginia, 1976, XXI-140 p.
[pp. 38-9]

GUITTON, Jean, *Journal de ma vie. 1. Présence du passé*. Paris, Desclée De Brouwer, 1976, 357 p.
[pp. 295 et 318]

GUITTON, Jean, *Journal de ma vie. 2. Avenir du présent*. Paris Desclée De Brouwer, 1976, 381 p.
[pp. 20, 27, 52, 132, 159 et 373-6]

HILLS, David, « Reply to Gass », *The Journal of Philosophy*, LXXIII, no. 19, Nov. 4, 1976, pp. 739-42.
[commentaires sur 1976 GASS]

INCE, W. N., « *Paul Valéry et le théâtre*. By Huguette Laurenti », *French Studies*, XXX, no. 1, Jan. 1976, pp. 92-3.

INCE, W. N., « Paul Valéry : *La Jeune Parque, L'Ange, Agathe, Histoires brisées*. Préface et commentaires de Jean Levaillant », *French Studies*, XXX, no. 1, Jan. 1976, p. 94.

INCE, W. N., « Paul Valéry : *Monsieur Teste*. Translated with an introduction by Jackson Matthews », *French Studies*, XXXI, no. 3, July 1976, p. 359.

INCE, W. N., « Paul Valéry : *Leonardo, Poe, Mallarmé*. Translated by Malcolm Cowley and James R. Lawler », *French Studies*, XXXI, no. 3, July 1976, p. 358.

JACKSON, Elizabeth R., *Worlds Apart : Structural Parallels in the Poetry of Paul Valéry, Saint-John Perse, Benjamin Péret and René Char*. La Haye—Paris, Mouton, 1976, IX-256 p. (Coll. « De proprietatibus litterarum : Series practica », 106).
[pp. 1-54 : « Valéry : *Cette forme pensive* »]

JACKSON, Elizabeth R., « Sense and sensitivity in Valéry's poetry : A Study of " *Les Pas* " », *The French Review*, L, no. 1, Oct. 1976, pp. 46-53.

JAUSS, Hans Robert, « Goethes und Valérys *Faust* : Zur Hermeneutik von Frage und Antwort », *Comparative Literature*, XXVIII, no. 3, Summer 1976, pp. 201-32.

JUDRIN, Roger, *Boussoles*. Paris, La Table Ronde, 1976, 243 p.
[pp. 87 et 234-7]

- KARAÏSKAKIS, Georges, *et* François CHAPON, *Bibliographie des œuvres de Paul Valéry publiées de 1889 à 1965*. Éditée sous les auspices de la Fondation Singer-Polignac. Préface de Lucienne JULIEN-CAIN. Paris, Librairie Auguste Blaizot, 1976, XL-575 p.

- KÖHLER, Hartmut, *Paul Valéry. Dichtung und Erkenntnis. Das lyrische Werk im Lichte der Tagebücher*. Bonn, Bouvier, 1976, VIII-396 p. (Coll. « Abhandlungen zur Kunst-, Musik- und Literaturwissenschaft », 226).

LA ROCHEFOUCAULD, Édmée DE, « Les Écrivains et " l'ennui " », *La Nouvelle revue des deux mondes*, n. s., n° 3, mars 1976, pp. 579-87.
[pp. 583-4]

LASSALLE, Roger, « " *Paul Valéry contemporain* " », *Le Français moderne*, 44ᵉ année, n° 4, oct. 1976, pp. 361-3.

LAWLER, James, « Valéry's *Cahiers* », *Books Abroad*, L, no. 2, Spring 1976, pp. 346-9.

LECLERCQ, P.-R., « Composition française. Valéry : Les musées », *L'École des lettres*, 1ᵉʳ janv. 1976, pp. 11-4.

LEGRAS, Yves, « De quelques leçons de Paul Valéry », pp. 116-23 in *Vingt ans d'action littéraire*. Les meilleures pages des *Cahiers des Jeunesses littéraires de France*, présentées par Jean Huguet (1955-1975). Les Sables-d'Olonne, Éditions Le Cercle d'Or, 1976, 156 p.

LINZE, Jacques-Gérard, « Écrivains belges, éditeurs belges : Jacques Sternberg, Georges Linze, Paul Pieltain, Alain Robbe-Grillet et René Magritte », *Revue générale*, 112ᵉ année, n° 4, avril 1976, pp. 83-8.
[p. 87 : « Paul Pieltain : " *Le Cimetière marin* " de Paul Valéry »]

LOCKERBIE, S. I., « *Le Ton poétique, Mallarmé, Corbière, Verlaine, Rimbaud, Valéry, Saint-John Perse. By É.* Noulet », *French Studies*, XXX, no. 2, April 1976, pp. 229-30.

MANENT, Marià, « Valéry y las trampas del lenguaje », *Revista de Occidente*, agosto-sept. 1976, pp. 37-9.

MARGERIE, Roland DE, « Rostand, Claudel, Anna de Noailles, Valéry, Gide... », *La Nouvelle revue des deux mondes*, n. s., n° 8, août 1976, pp. 292-9.
[pp. 297-8 (souvenirs de Valéry à Berlin)]

MAURIAC, Claude, « Valéry : Le génie à vingt ans », *Le Figaro littéraire*, 3 janv. 1976.
[c. r. des *Cahiers Paul Valéry, I*]

MAURIAC, François, *et* Jacques-Émile BLANCHE, *Correspondance (1916-1942)*. Établie, présentée et annotée par Georges-Paul COLLET. Paris, Bernard Grasset, 1976, 266 p. (Coll. « Cahiers François Mauriac », 3).
[pp. 12, 16, 33, 75, 105, 123, 127, 152, 164, 178, 185, 221, 237, 238, 240]

MAYNARD, Patrick, « Professor Gass's transformations », *The Journal of Philosophy*, LXXIII, no. 19, Nov. 4, 1976, pp. 742-3.

McCHUGH, Eileen M., « Du nouveau sur le " Brevet de poète ", de Paul Valéry », *Revue d'histoire littéraire de la France*, 76ᵉ année, n° 1, janv.-févr. 1976, pp. 80-2.

MOURLET, Michel, *L'Éléphant dans la porcelaine*. Notes établies par Éric LESTRIENT. Paris, La Table Ronde, 1976, 242 p.
[pp. 175-84 : « Actualité de Valéry »]

MOUTOTE, D[aniel], « *Cahiers Paul Valéry, I — Poétique et poésie* », *Bulletin des études valéryennes*, 3ᵉ année, n° 8, janv. 1976, pp. 5-10.

MOUTOTE D[aniel], « " Dimension humoristique de Paul Valéry ", par Paul Gifford. *Revue d'histoire littéraire de la France*, juillet-août 1975, 75ᵉ année, n° 4, p. 588-607 », *Bulletin des études valéryennes*, 3ᵉ année, n° 8, janv. 1976, pp. 10-1.

MOUTOTE, D[aniel], « Pierre-Olivier Walzer, *Littérature française : Le XXᵉ siècle. I. 1896-1920 : V, 5 : Paul Valéry* », *Bulletin des études valéryennes*, 3ᵉ année, n° 8, janv. 1976, pp. 11-2.

MOUTOTE, Daniel, « Un livre récent sur la poésie de Valéry », *Bulletin des études valéryennes*, 3ᵉ année, n° 11, oct. 1976, pp. 6-7.
[c. r. de 1975 PIELTAIN]

MROSOVSKY, Kitty, « ... Me, I never forget », *The Times Educational Supplement*, Feb. 13, 1976.
[*Moi*]

PASQUINO, Andrea, « Il " Sistema " di Paul Valéry tra teoria e biografia », *Micromégas*, genn.-aprile 1976, pp. 65-77.

• *Paul Valéry. National Library of Scotland, Edinburgh, 1976.* Prefatory note by E. F. D. ROBERTS. Introduction by Agathe ROUART-VALÉRY. Édimbourg, National Library of Scotland, 1976, 10 p., 18 ff.
[catalogue d'exposition]

• PFAFF, Lucie, *The Devil in Thomas Mann's « Doktor Faustus » and Paul Valéry's " Mon Faust "*. Francfort, Peter Lang, 1976, 142 p. (Coll. « European University Papers »).

POULET, Georges, *Études sur le temps humain*. III. *Le Point de départ*. Paris, Éditions du Rocher, 1976, 236 p.
[pp. 13-6 et 28-31]
[voir aussi 1964]

• PRATT, Bruce, *Rompre le silence : Les premiers états de « La Jeune Parque »*. Paris, J. Corti, 1976, 123 p.

REID, Ian, « Composing the self : Valéry's " *Marine Graveyard* " », *Meanjin Quarterly*, vol. 35, no. 3, Sept. 1976, pp. 253-64.

REMAK, Henry H. H., « Rilke and Valéry on *Autumn*. A comparative *explication de textes* », pp. 365-76 in *Herkommen und Erneuerung*. *Essays für Oskar Seidlin*. Tubingue, Max Niemeyer Verlag, 1976, 434 p.

RINSLER, Norma, « *Éros et Logos : Esquisse de phénoménologie de l'intériorité créatrice. Illustré par les textes poétiques de Paul Valéry*. By Anna-Teresa Tymieniecka », *French Studies*, XXX, no. 4, Oct. 1976, pp. 495-6.

[ROTH, Alain,] « [Notes concernant les rapports de *L'Idée fixe* avec la biologie] », *Bulletin des études valéryennes*, 3ᵉ année, n° 9, avril 1976, pp. 44-7.

ROUCOULES, L., « Paul Valéry, le Rouergue et les Rouergats », *Revue du Rouergue*, 30ᵉ année, n° 118, juin 1976, pp. 131-4.

ROUSSELOT, Jean, *Histoire de la poésie française des origines à 1940*. Paris, PUF, 1976, 126 p. (Coll. « Que sais-je ? », 108).
[pp. 102-3]

SCHMIDT-RADEFELDT, Jürgen, « Valéry et les sciences du langage », *Bulletin des études valéryennes*, 3ᵉ année, n° 8, janv. 1976, pp. 16-36.
[suivi d'une discussion (pp. 37-48) avec la participation de BARRAL, CLARET, LAURENTI, CELEYRETTE-PIETRI, MADRAY, MASCAGNI, MIGNOT, MOUTOTE, ROBINSON, SCHMIDT-RADEFELDT]

SCOTT, Clive, « Symbolism, Decadence and Impressionism », pp. 206-27 in *Modernism, 1890-1930*. Edited with a preface and notes by Malcolm Bradbury and James McFarlane. Harmondsworth, Middlesex, Penguin Books, 1976, 683 p. (Coll. « Pelican Guides to European Literature »).
[pp. 207 et 211]

SEYMOUR-SMITH, Martin, *Who's Who in Twentieth-Century Literature*. London, Weidenfeld and Nicolson, 1976, 414 p.
[pp. 374-5 : « Valéry, Paul (1871-1945) »]

SINGER, Barnett, « Paul Valéry, reluctant prophet », *Research Studies*, Sept. 1976, pp. 137-49.

STEEGMULLER, Francis, « " *La Feuille blanche* " : A Valéry rarity », *The Times Literary Supplement*, Sept. 17, 1976.

STEINER, Georges, *After Babel. Aspects of Language and Translation*. Londres—Oxford—New York, Oxford University Press, 1976, VIII-507 p. (Coll. « Oxford Paperbacks », 364).
> [pp. 70, 237, 269, 346 et 455]
> [voir aussi 1975]

SUCKLING, Norman, « *Le Regard contemplatif chez Valéry et Mallarmé*, by Ludmilla M. Wills », *Notes and Queries*, New Series, vol. 23, no. 7, July 1976, pp. 334-5.

TROY, William, « Paul Valéry and the poetic universe », *Quarterly Review of Literature*, XX, nos. 1-2, 1976, pp. 121-8 (« Special Issues Retrospective »).
> [voir aussi 1947]

TURNELL, Martin, « Paul Valéry and the universal self », *The American Scholar*, vol. 45, no. 2, Spring 1976, pp. 262-70.

VIA, J. M., « Paul Valéry : Mística y ateismo », *La Vanguardia española*, 13 oct. 1976.

VILLANI, Sergio, « Paul Valéry's angel, Caligula and Robinson Crusoe », *Revue du Pacifique*, II, print. 1976, pp. 42-9.

WALZER, P.-O., « Huguette Laurenti, *Paul valéry et le théâtre* », *Revue d'histoire littéraire de la France*, 76ᵉ année, n° 2, mars-avril 1976, pp. 312-4.

WALZER, Pierre-Olivier, « Valéry de A à Z : La bibliographie qu'on attendait depuis près d'un demi-siècle », *Journal de Genève*, 11-18 déc. 1976.
> [c. r. de 1976 KARAÏSKAKIS & CHAPON]

WATTS, Harold A., « Valéry and the poet's place », *Quarterly Review of Literature*, XX, nos. 1-2, 1976, pp. 142-55 (« Special Issues Retrospective »).
> [voir aussi 1947]

WEINBERG, Kurt, *The Figure of Faust in Valéry and Goethe. An Exegesis of " Mon Faust "*. Princeton, N. J., Princeton University Press, 1976, XVI-257 p. (Coll. « Princeton Essays in Literature »).

WILLS, Ludmilla, « Virtanen, Reino, *L'Imagerie scientifique de Paul Valéry* », *The French Review*, XLIX, no. 4, March 1976, pp. 622-3.